林慶彰 總策畫
民國時期稀見期刊彙編
第一輯

哲學科研究年報②

臺北帝國大學研究年報

第八冊

哲學科研究年報

第二輯

臺北帝國大學文政學部

臺北帝國大學
文政學部

哲學科研究年報 第二輯

目次

私の見たる人間の構造とその研究方法

伊藤猷典

目次

本論文は本年二月十八日、臺北心理學界にてなせる講演原稿に若干の補正を加へたものである。未成品なるも一先づ公表し、世の學者の叱正を仰ぐことゝし

序説

何れの敎育學書を繙んで見ても何處かに取得がある。全く理想的だといふものが見當らないと同樣に、全く取得のないといふものも少ない。自分が敎育學徒としての立場から見て、人間の構造に關し取得があると思はれる主なる立場を列擧すると三種に大別される。

い　人間を事物又は機械と同一視する立場。汽船を走らせるために石炭を焚く。汽船の速度と焚かれる石炭の量とは或程度まで正比例する。同樣に人間の能率も營養價値に正比例する。運動選手が勝利を得るために鰻丼や、更に念の入つたのは蝮蛇をたべるのはその好例である。敎育上では敎室に於ける作業と疲勞、營養と能率の關係の問題として表はれる。

ろ　人間をば萬物の靈長と見ずして動物の一例と見るもの。かゝる立場からは政治、經濟、藝術、宗敎、敎育等人間のなす凡てのものは結局は個體の發展と種族、

の保存の爲に存すと見られてゐる。教育學者にして此の派の巨頭はスペンサーであり、ベルゲマンシュダットラーなどがその亞流である。

第三は精神的な立場である。人間を萬物の靈長と見る宗敎的立場、現實に生きることでなくして理想に生きることを强調する觀念論哲學者の立場、乃至は文化敎育學者の立場である。

以上三種の立場を他の用語で表はせば、第一は自然科學的見方であり、第二は生物學的見方であり、第三は精神的見方である。三者共に何れも嚴として否定することの出來ない存在根據を有すると見るとき全き人間を知るためには此等三者を何等かの形に於て包括し、組織立てなければならない。そのためには今一度かかる見方の特徵を見返る必要がないであらうか。

自然科學的見方の對象は因果相等の關係によつて規整された物質的存在であり、生物學的見方の對象は合目的存在であり、精神的見方の對象は超驗的存存である。此の三者が互に次元を異にした存在であり、且同一人間に具有の存在であるとすると云ひえないであらうか。詳言すれば、人間は三次元的存存であるとき、人間は第一次には物質的存在であり、第二次には生物的存在であり、第三次には超驗的存在であると云ひえないであらうか。自分は便宜上かゝる意味に於ての次元といふ言葉を使用し各次元の特有な對象、方法を最初に考究しようと思ふ。なほ繰返して云へば、人間の研究は單に人間の特色ある部分、卽ち第三次元特有の對象と方法のみを取扱ふのみでは完全なる方法とは云へない。第一次元、第二次元の方法に加ふるに更に第三次元の方法を考究することによつて、初めて完きを得るものであると思はれる。モイマンの實驗敎育學は主として第一次元の方法を、ベルゲマン、スペンサー、シュタッドラーなどは主として第二次元の方法を、フィヒテ、ナトルプ等は主として第三次元の方法のみによつた點に於て缺陷がある。完き方法は三次元を共に含むものでなければならない。

しかし自分の窮極の目的は敎育學の方法を確立するにある。敎育學の方法について考へられる一方法としてこれを提唱するものである。

二　各次元の特徴

自分は理解の便宜のために人間の構成次元について論ずる前に一般的に各次元の特徴についてのべてみようと思ふ。且、こゝでは各次元の構成要素について論究するのでなくして、各次元を全體としての姿に於ての特徴點を捉へようと思ふ。何故ならば、例へば今目前にある蘭の何たるかを知るの第一條件は全體として、生活體としての蘭であつて、その化學的な構成要素ではないからである。要素に分解されたるものは最早生きたる蘭ではない。そうしてかゝる全體としての特徴點は　(い)存在の一般特徴　(ろ)生誕乃至創造作用　(は)存在の條件　(に)動作の動因　(ほ)存續の樣態　(へ)統一の樣態の六點を考察することによつて盡きて居り、遺漏ないことゝ信ずるからこの目標に從つて論述しようと思ふ。

(い)　存在の一般特徴

第一次元の存在は單なる物質である。ものである。如何にこれを集積しても依然として物質たるに止まる。最上の場合に於ても他によつて規整せられる機械たるに止まる。

第二次元的存在の特徴は生活體であることである。植物にしても、動物にしても何等かの物質から構成されてゐる上に更に、期間に長短の差こそあれ生きてゐる活動體である。自分の力で動く。岩は幾何程碎いても矢張岩であるが、生物は碎かれば死する。死せば最早生物的存在ではない。又生物は各種の要素に還元されうるが、しかし生物は此等の要素の單なる集合以上のものであること恰かも詩歌が名詞、形容詞、動詞等の文法的要素から構成されて居ながら、文法的要素以上の或物を含むと同じである。即ち第二次元的存在は單なる物質の集合以上に更に生活體であるといふ點に於て特色を有してゐる。

普通哲學者に於て純粹意志とか事行とか呼ばれてゐるものは、その根據をこの次元に求むべきでなからうか。かくすることによつて思惟と意志、審美心と意志との關係なども一層明瞭となり、新カント派に於てなされたような煩鎖な論證を用ひる必要はなくなるではなからうか。

又或學者は事物の存在と人間の存在との區別を志向性の有無によつて定まるとなした。對象の存在によつて初めて志向關係が主觀に生ずるのでなくして、主觀がそれ自身に於て志向的に構成されてゐる。志向關係は對象の存在によつて初めて生ずるのでなくして、知覺其物の中に存する。志向性は主觀の構造そのものである。主觀と客觀との存在間の關係ではなくして生命の樣態であると説いてゐる。しかしながらかゝる志向性は前述の純粹意志の問題と同樣に、この第二次元的存在に於てその根據を求むべきではなからうか。

單に志向性ばかりでなくして「衝動や素質の中にその起原を持ち、動物と雖も有する、從つて高等なる精神作用の影響なくとも生ずるやうな感覺や行動の特有性、感激性や反動の特有性」等、ケルシェンシュタイナーの稱する生物的性格、(Kerschensteiner, Georg: Charakterbegriff und Charaktererziehung. 1912. 八頁參照)「自己保存の衝動、社會的衝動、活動衝動、模倣、好奇心、精神綜合、換言すれば思惟の知的衝動、言語、營養、性衝動、喜悅、恐怖の感情」(同上一一一頁參照)もこの次元に屬するものと見るべきであらう。

次に第三次元の存在の特徴は超驗的である。現實に止まらずして現實以上に超越することである。

人間は啻に心を有するばかりでなくして、更に精神を有する。人間は對象を捉へ、且それを同一物として確保する。主觀と對象界のある所には意味なるものが現はれる。意味は主觀客觀關係に於てのみ現はれる所の現象である。人間が意味を持つた事物に對する關係を、又意味を體驗する甲の人格と乙の人格との關係を理解することが可能であるために一層高次の意味秩序を、更に又純粹理念的な意味秩序を想定することゝなる。人間は時間的な實在的な現象に對立して、永遠的な理念的な超驗界を構成する。主觀-客觀-關係に住み、理念的な超驗界を構成することこそは第三次元的存在の特有の現象である。

人間が現實を超越せんとすることは理想の定立を前提とし、理想の定立は規範意織によつて統一された人格者であることを前提とする。從つて第三次元の超驗的存在の特徴は一言で蔽へば人格者であると云ひうるのであらう。

（ろ）　生誕乃至創造作用

生起の樣態から眺めると第一次元的存在にあつては同一の水が雨、霰、雪、氷と變化する意味に於ての生起はあるが、生物に於ていふような意味の生誕は物質界には存しない。唯同一要素が姿を變へて表はれるといふにすぎなく、事物が自ら自物を産むといふことは全然ない。

生物的存在にあつては、身體の分裂、花粉の媒介、雌雄の交尾による等の差はあらうとも、生殖作用によつて自らと同一種類のものを産出する。哲學者の用語に倣つて云へば有機體はそれ自身に於て原因であり、同時に結果である。時計は時計師の力を借りなければ出來ないが、生物は自分で自分を産み出す。この自己を産むことは部分、個人、種族を作ることに分れる。部分の自己生産は個體の自己生産の根本條件となり、個體の自己生産は種族の自己生産の根本條件となる。この點に於ても第二次元的存在は一次元的存在には見られない特色を有する。

更に第三次元的存在、卽ち精神的存在にあつては、創造作用によつて他物を產出する。

造、被造の關係より云へば、第一次元的存在は形を變化する意味に於て他より作られるのみで、それ自身には生產作用を有してゐない。第二次元的存在は自ら自己と同一種類のもののみを生產する能力を有する。第三次元的存在は自己と同一種類のものを生產する能力の外に、更に自らとは異つた他物を產出する能力を有する。唯物論者によつて說かれてゐる「人間自身は彼等が彼等の生活資料を生產し始めるや否や自己を動物から區別し始める」(ドイッチェーイデオロギー、三木淸譯四七頁)といふ命題もこの意味に於て肯定すべきであり、文化を創造することがこの次元の最特色であることは贅辯を要しないであらう。

(は)　存在の條件

存在の條件から眺めると第一次元的存在はそれ自身にて存在し、從つてそれを知るにはそれだけを(或は要素に分解し、或は顯微鏡下に照すことあるとも)見れば足りるのである。例へば北投石の何であるかは北投石だけを見れば判る。

所が第二次元的存在にあつては、それだけを見たのみでは判らない。環境と併せて見なければ判らない。生物學者のいふ所によれば四乃至八パーセントの鹽分を含む水中に住むArtemia Salinaと、少くとも二五パーセントの鹽分を含む水中にのみ存するArtemia Milhauseniとの差は水中に含まれたる鹽分の多少に依存する。この二者の本質的理解はその環境たる水中の鹽分を離れて理解することは出來ない。蚊は氣溫が華氏六十度以下の場合には室内を雄飛しない。蚊の活動は氣溫の高低を度外視しては理解出來ない。魚は水を離れては、人は空氣を離れては理解出來ない。一言にして云へば、生物はその生活する環境を離れては理解することは出來ない。環境との關係を人間に於てのみ不可分離と考へるのは、井蛙の見方のやうに思はれる。

　しからば第三次元的存在に於ては如何なる特色があるか。人間は一般生物の如く、横に空間的に必然的の關係を有する外に縱に時間的に必然の關係を有する。卽ち歷史との關係を有する。人間は環境と離れては考へられないと同時に更に歷史を離れては理解出來ない。高下、深淺の差こそあれ、人間はその種族に各〻異つた歷史を有する。動物に近いやうな生活をなす未開人にも、藝術もあれば道德もある。毒矢を用ひて鳥獸を捕へることも知つてゐる。各個人の中には多かれ少なかれ、包括的に、その國民の、民族の精神的な發展の體驗が宿つて居る。各個人は自分自らでは作ることの出來ないやうな優れたる內容、優れたる精神作用に與かつてゐる。歷史の流れは個人を通じて流れ、同時に個人をして歷史的な社會的な、發展過程に於てのみ作られうるやうな精神の形式、精神の作用の支持者たらしめる。恰度その故にこそ人間をば精神的と稱するのである。人間の凡ての精神的な所有は集合的に、歷史的に出來たものである。

勿論物理的存在にも、生物的存在にも歷史はあるが、それは發生史的歷史であり、他によつて作られたものであり、個體によつては如何とも致し難いものである。しかるに人間にあつては各個人が自ら歷史を作る。この點に於て人間は第二次元的な生物的存在とは重要な區別を存する。この事は既に、(ろ)生誕乃至創造作用の項に於て一寸觸れたことであり、更に詳細は次項の(に)動作の動因、並に(へ)統一の樣態の項に於いて詳論される事であるが、本項存在の條件として一言附加すべきは次の二點である。

第一は第三次元的存在が、歷史に依存するといふことは、やがて、單に時間的な歷史のみでなくして、時間的な歴史の根柢となる超時間的な理念的のものに依存することゝなること、第二は個人生命は一般生命に依存し、一般生命は個人生命に依存し、しかも兩者は嚴密に區別出來ないやうに交叉してゐることである。しかもこの事は人のよく例に引く如く、言語に於て、又道德に於てよく現はれてゐる。而して言語なり、道德なりの成立條件を精査するとき、第一の場合と同樣に、これ等のものは何處かに永遠の根柢を持たなければならないことを知る。一般と特殊、歷史的と超歷史的のものとが程よく融合された雰圍氣といふ條件を備へてこそ、初めて第三次元的存在はその存立を完ふしうるのである。

（に）動作の動因

動作の動因から眺めると第一次元的存在にあつては全然物理的である。水が氷となるのも氷が水に溶けるのも、火山の爆發によつて地殼に變動を生ずるとか、洪水のある每にその流域が沃野になるとかいふのも、その運動の原因は全然物理的であり、それ自身には能動因を持たず、全然他動的である。

これに反し第二次元的存在にあつては運動の樣態は目的追求である。稻の生長を見ても發芽から結實に到る迄一定の目的によつて統整されてゐる。嘗て生物學者ジェンニングも云つたやうに、最簡單なる動物と雖もその行動は合目的々であり、機械的ではない。

第三次元的存在卽ち人間にあつてはその運動の樣態は啻に合目的々であるばかりでなく、更に價値的である。嘗てシュプランガーも云つたやうに前述の凡ての現實の主觀-客觀-關係は未だ目につかない價値性又は非價値性から誘導される。吾人の環境の事物は中性であるよりは寧ろ效用があるか、害があるか、美しいか、醜いかであり、吾人の周圍の人間は敵であるか、味方であるか、同情を持つか、反感を持つかである。吾人の持つ表象は當つて居るか、當つてゐないかである。(Internationale Zeitschrift für Erziehungswissenschaft. Dritter Jahrgang. Zweites Heft. S. 161—2參照)この事は人間の目的行動に於て最も明瞭に表はれて來る。表象された目的は價値の性質を帶び、その能動因は價値の志向である。勿論シュプランガーも云へる如く、凡ての生命關係必しも明白なる目的關聯、價値關聯のみではなからう。けれども科學、藝術、道德、宗教などゝ明白に生命の特殊領域が表はれるとき、當該領域の建設に於ては、當該價値がその領域の指導者となる。實に價値は文化を作る基準であり、創造の目的因であり、辨證的發展の指針となるものである。

（ほ）存續の樣態

存續の形式的樣態から眺めるならば、第一次元的存在は固定である。石は常に石であり、瓦は遂に瓦である。瓦は碎かれて砂礫に還元されるかも知れないが、それは偶然のことであつて必然ではない。數千年に亘りてよく同一形體を保持しうる。阿房宮の瓦と稱して（眞僞は別だが）好事家が珍重するのも所以あることである。

第二次元的存在にあつては長短、形式の差こそあれ、生老病死を免れない。生物にあつては生老病死は必然の附物である。卽ち第二次元的存在にあつては個體の生死による繰返しによつてその種類を存續するのである。（生物學者の說によるとアミーバー等の單細胞動物になると生はあつて、死はないそうであるが、しかしこれは生物一般の特徵を論ずる場合には、別して人間を生物として觀る場合には、問題外として取扱つても差支へないであらう。）且又個體の自己存續の手段は、素材の吸收、同化並に生長である。有機體は素材を自分以外の自然から取る。自然はその性質に於て、又分量に於て雜多である。こゝに性質の差異や、新結合が生じ、これによりて生長といふことが可能なのである。

る。次に第三次元的存在に於ては物質的存在と異なり、瓦も遂に玉となることがある。小學校時代の鈍才エヂソンは後年に於て稀代の發明的天才であつた。かゝる例は枚擧に遑がない。卽ち人間に於ては個體に於て發展があり、更に種族を通じての發展がある。人間は生物として生老病死を逃れない。けれども一般生物のやうに先祖代々同じ生活を繰返すのでなくして、個體に於て、又種族を通じて發展がある。單なる生死の繰返しではなくして、文化の創造上に於てより高きものへの發展がある點に於て、第三次元的存在の特徴がある。

存續の手段からのべるならば、その素材はその屬する社會から得る。更に限定するならば客觀精神からうる。西田博士の言を借りるならば「非連續の連續」が可能なのは「自己の内に絶對の他を見、逆に絶對の他に於て自己を見るといふこと」「絶對の他に於て自己を見る、卽ち絶對の死から蘇るといふ」ことによるのである。「我々が自己自身の底に絶對の他を見、絶對の他に於て自己を見ることによつて自己が自己で」ありうるのである。(理想第三四號、西田幾多郞、生の哲學について、參照)

（へ）　統一の樣態

統一の樣態から眺めると物質的存在には、それ自體に於ては變化しないと云ふ意味に於ての、例へば石は石として常に變らないといふ意味に於ての統一はあるが、作用を統制する意味に於ての統一はない。物質には集合はあるが統一はない。假令統一はあるとしても他動的な統一で、所謂機械的統一と呼ばれるものにすぎない。

第二次元的存在にあつては他から統一せられることなく、それ自身に於て自ら統一してゐる。所謂有機的統一をなしてゐる。石は他により損傷された場合には、その儘で自ら恢復しないが生物にあつては他より損傷されても直ちに治癒し、原形に復する。啻に自分自身が自らに於て統一してゐるばかりでなく、環境との關係を考慮しつゝ、よく自らを統制する。ステントーアと稱する原始動物が機械的反應をなさずして自律的に行動することは、生物學者ジェンニングをして機械觀を棄てしめた有力な原因であつた。

更に第三次元的存在、即ち精神的存在になると、それ自身が有機的に統一され、環境との關係に於てばかりでなく、更に歴史との關係に於て統一する。科學に於て、又道徳に於て吾人は前代者の跡を繼いで更にその開展に力める。環境は空間的であり、歴史は時間的である。環境は空間的に、歴史は時間的に共に無限である。

人間はこの無限的なる環境と歴史を統一すべく運命づけられてゐる。この無限的なる環境と歴史とは、(は)、存在の條件の項で述べたと同樣に、超空間的、超時間的なる理念的のものを想定し、これによつて把握、統一することゝなる。かゝる統一をなそうと努める所に、換言すれば啻に形而下に於ての統一ばかりでなく、更に形而上に向ひ形而上的に統一せんとする所に人間的存在の特色がある。その統一が直覺的である場合には宗教によると云はれ、推理による場合には哲學と呼ばれる。實にアリストテレスのいふ如く人間は形而上的動物である。

シェーラーは人間の人間たる所以として、(1)　人間の規定可能性は有機體の要求、內面狀態、衝動等によつて限定されるものとは異り、單に事物の內容に從つて規定すること、(2)　事物の衝動關係凡てを超越したものとして世界に對する純粹愛、(3)　本質と現實存在とを區別し、所謂先驗的知見を持ちうることの三點を擧げてゐるが、(Scheler, Max: Formen des Wissens und die Bildung. 1925. S. 20) 三點を要約すれば自分のいふ第三次元的存在の意味を他の言葉で表はしたるものと見るべく、又シェーラーが同書、四三頁に引用してゐるライプニッツの言「永遠的な且必然的な眞理性の認識は吾人を單なる動物と區別し、且そは吾人自身並に神の認識を得しむることによつて吾人をして理性の科學の所有者たらしめる。」も、人間の特色を第三次元的存在の特色を簡潔に云ひ表はしたものと云ひうるであらう。

三　各次元の研究方法

第一次元的存在の特徴は前項に於て述べたように物質である。從つて研究者に取つて關心となるものは當該物質は如何なる要素から成立ち、且各要素は如何なる特性を持つかといふことである。從つて其の研究方法は分解法を用ひなければならない。

物質は變化し、又變化に際して各種の作用を及ぼす。けれどもそれは同一要素が甲の狀態から乙の狀態に變じ、或は丙の作用を演ずるのみである。その變化並に作用は常に因果相等の法則によつて規整されてゐる。

物質の變化並にその作用は因果相等の法則によつて規整されてゐる外に、その變化の道程並にその作用の範圍は常に限定されてゐる。某々の物質は常に、何處に於ても斯く〳〵の性質を有し、斯く〳〵の作用をなし、斯く〳〵の變化をなすと限定されてゐる。限定された範圍内では常に、何處に於ても同樣に行はれる。所謂一般性を有する。

これを要するに、第一次元的存在に於て研究者の對象となるものは物質の有する一般的特徴であり、その見方は要素的であり、方法は分解的である。

第二次元的存在の特徴は前述の如くに生けるものであり、時間經過の樣態は生死の繰返しであり、統一の樣態は有機的であり、環境との關係を離れては考へえざるものであつた。

生けるものであるからこれを要素に分解すれば死せるものとなり、最早生物ではなくなる。從つて研究者に取りて第一の關心となるものは全體としての姿であり、その方法は要素的見方を取らずして全體的見方を取らなければならない。全體としての姿を問題とするとき、第一に着目されるのは、如何樣な姿をしてゐるかといふことゝ、如何樣にして生活してゐるかといふことである。生物にあつてはこの姿と生活の樣式とは密接不離の關係を有してゐる。而してこの姿なり、生活樣式は具體的な個々の場合には千態萬樣であらうが、しかも一定數の間には共通點が存する。共通點の特色に從つて個々を把握するとき、こゝに類型を生ずる。例へば動物をその生態より區別するとき海棲動物、淡水動物、陸棲動物の別があり、陸棲動物は更に地下動物、地表動物の區別を生ずる如きこれである。

從つて研究の對象は要素でなくして全體であり、一般性を求めるのでなくして類型を求めるのであり、その方法は演繹的、又は歸納的でなくして比論的である。

第三次元的存在卽ち精神的存在の特徵は人格である。人格の把握が目下の學界の趨勢に於て精神科學者の說く理解の方法によるべきことはこゝに贅辯を要しないであらう。この點に關しては自分はシュプランガーがPsychologie des Jugendaltersに於て述べた方法が敎ふる所非常に大であると信ずる。

ケルシェンシュタイナーは先きにも述べたやうに、人格を生物的人格と叡智的人格とに分けて說いたが(Kerschensteiner, Georg: Charakterbegriff und Charaktererziehung. 1912.S. 7 ff.)前者を自分のいふ第二次元的存在の面に於て捉へ、後者を第三次元的存在の面に於て捉ふるとき意義あることでなからうかと思ふ。

四　人間の構成次元

人間は三次元的存在者である。三次元的存在といふのは第三次元の上にのみ立つといふのでなくして、第一次元も、第二次元も共に不可缺の要素であること恰も立體に於て線も平面も共に不可缺の構成要素であるといふのと同一意味に於てゞある。人間は人間としての特有な精神的存在者である外に、物質的存在者であり、生物的存在者である。今具體的に説明しよう。

人間は酸素、炭素、水素・窒素等からなる點に於て人間は明かに物質的存在者である。營養物の多少によつて能率に變化を來たすこと蒸氣機罐に於ける燃料の多少によつて能力の差の生ずるのと大差はない。この點に於て人間は明かに機械的存在である。人間は精巧なる機械であるとは慥かに一面の眞理を穿つてゐる。

しかし人間は機械的存在よりもより以上である。機械は原則として同一刺戟に對して同一反應をしかなし得ないのであるが、生物としての人間は同一刺戟に對してよく異つた反應をなす。所謂環境の變化によく適應する。卽ち人間は物質でなくして、生活體であり、生活體であるが故に有機的統一をなし、變化に際して自己をよく處理しうるのである。生活體なるが故に人間は物質の如くに固定せずして、各自は悉く生老病死の過程を經なければならない。傳説の人、彭祖も壽八百歳を出でない。物質は不生不滅によつてその族を存續するが、生物に在つては父子の交替によつてその族を存續するのである。父子の交替といふ事實があり、嬰兒は直ちに大人にあらざるが故にこゝに、前代者と後代者との關係、前代者が後代者に對する助成作用といふ事實が發生するのである。シュライエルマッヘルによりて初めて說かれ、我國にては篠原博士によりて强調されてゐるところの前代者と後代者との關係、又は時代の連續といふ根本概念はこの次元に於てその根據を求むべきであらう。

人間はその環境を離れて考察しえざること一般生物と大差はない。山地の住民は忍耐力に富み、平地の住民は氣力に乏しく、熱帶の住民は遊惰なるに反し、寒國の住民の刻苦勉勵なることは環境を見ずしては理解出來ないことである。都會の兒童が田舍の兒童に比して、知能が一二歲優れてゐるとか、貴族富豪の子弟が、貧民勞働者の子弟に比し、文化的知能の優れてゐることも同樣である。此の點に於ては緯度の高下に從つて動植物の分布が異るのと大差はない。即ち人間は單なる原子以上であり、一般生物と同樣に環境を離れては理解出來ないものである。人間敎育に於て社會の絕對必要なることは、こゝに贅言を要せざることであり、ナトルプのいふ社會的敎育學の根據も、徹底さすれば此の次元に於て求めらるべきでないかと思ふ。

かゝる意味に於て人間は明かに生物的存在であり、かゝる次元に存するものと云ひうるであらう。

この次元に於て人間に取つては個人的生命の保存と種族の存續とが看過することの出來ない重大事項である限り、ベルグマンやスペンサーに依つて唱へられた生物學的立場は意義あることのやうに思はれる。

次に人間は單なる生物的存在以上である。生物は食物の產地について關心を持たないが伯夷、叔齊は周の粟を食むことを愧ぢた。人間は本能の儘に動くのでなくして、自己の好む、又は自己の選定せる目的に從つて行動するものである。自然の法則に盲目的に從ふのでなくして、自由の生活をなすものである。故に人間は動物のやうに、自然の儘の生活に滿足せずして、自然の儘にては恐るべき河水を利用して灌漑に供し、或は水力電氣を作る。人間は現實以上に出でゝ現實を支配する。

人間は生物的存在者としては時間空間に制約されてゐる。しかしながら人間は第三次元の精神的存在者、超驗的存在者として、時間を超越しては過去數千年の昔を知り、未來數千年の先を豫斷する。空間を超越しては數千里外の動靜を居ながらにして見、且聞く。しかもこれは神祕家の場合のやうな冥想裡にではなくして現實に於てしかなしうる。人間は生物的存在である上に、更に自然以上に出づるといふ點に於てその特色がある。

ベーンの用語に倣つていふならば、昨日の動作と、今日の動作との間に動物には統一がないが、人格者には統一がある。動物は掠奪を事とするが、人間は財産を所有する。動物は單に性慾を起すのみであるが、人間は家庭を構成する。動物は梟雄たるか乃至は群盲であるが、人間は國家を構成する。動物は掴合をなすのであるが人間は戰爭をする。動物の行動は離合常ないが、人間の行動は契約に基く。

人間が必要とする環境は先にも逃べたるが如く生物に於けるが如き單なる空間的なる環境ではなくして、時間の加はれる環境である。

人間は變化を厭ひ恒常を好む。生死を厭ひ涅槃を欣求する。人間は不徹底を厭ふ。徹底せざれば止まない。故に最後迄も統一を求める、有限的な時空の世界の根柢に、無限的な、否永遠的な、恒常的な理念の世界を求める。實に人間は有機的統一に止まらずして更に超驗的な統一を求める。

先にのべた生命の樣態の志向的構造は主觀に內在する。而して志向性と、今逃べた超驗性との關係については、生命が超驗を必要とするのでなくして、却て生命の志向的把捉が恰も凡ての超驗の可能の條件と考へられるのである。現實を超越することは志向として存在する人間の本質に屬し、人間生命の構造の根本規定とも云ひうる。第二次元的存在に於て見る如き單なる合目的性に止まらずして、眞に現實界を超越する可能性を有する點に、第三次元としての特色を有すると考へられる。

今のべた超驗の意味を更に解明するならば、現實界を超越するとは表現することであり、人間は表現する作用者として存する。現存するものについて知覺された内容はこの現存物其物に附隨するのでなくして、却て知覺者の生命其物に附屬する。知覺された内容は知覺的志向態度に屬する。知覺された内容は如上の意味を有するが故にこゝに超驗と呼ばれるのである。

×　×　×

自分は本項の初めに於て、人間は第三次元の上にのみ立つのでなくして第一次元も、第二次元も不可缺の要素であること恰も、立體に於て、線も平面も共に不可缺の構成要素であるといふのと同一意味に於てであることを述べた。今一度繰返してのべよう。人格者たるためには生活體が必要であり、生活體であるためには物質が必要であること恰も、立體であるためには面が必要であり、面であるためには線が必要なると同じであると。この點はパスカルの說は有意義のやうに思はれる。

五　人間の各構成次元間の關係

自分は前項に於て人間は三次元の世界に存立するものであることを述べた。物質的存在と、生物的存在と、精神的存在との三次元にあることを述べた。しからばこの三者は同一人間內に於て如何樣の關係に立つと見るべきか。

此れに類似した問題に關し、かゝる關係の詮索は無意義であるとなす學者もある。（理想、第三十四號、丘英通、生物學上より見たる生命、八八頁參照）論者によれば「電子が結合して電子には見られぬ性質をもつた原子をつくり、原子が結合して原子には見られぬ性質をもつた分子を作るやうに、諸化合物が結合して化合物には見られぬやうな性質をもつた全體をつくつたものが生物である。……同化作用とか生殖とかは皆かゝる生物にして始めて見られる性質である。而して生物學が研究すべきこと、又實際研究してゐることはすべてかゝる性質の存在を前提とした上の、かゝる性質相互の間の關係である。而して生物なる階梯に於て始めて見られる性質の間の關係たる以上、これより以下の階梯の、卽ち未だかゝる性質を現さぬものゝ性質間に見られる關係と直接關係づけられることは無意義である」と。同樣の論法は更に進んで生物と人間との間にも適用されそうである。しかしながら既にのべたやうに經驗的立場も、超驗的立場も共に存在の價値を有する限り、論者のやうに見るには、問題はあまりに複雜ではなからうか。統一を要求する我等の知識慾はそこに何等かの關聯を見出さずには居られない。

これに就ては古來から行はれた精神と身體についての考方を一瞥することが問題の解決には捷徑のやうに思はれる。

精神と身體との關係については

1　精神と身體とは全然相異つた世界と見るもの、例へばデカルトの說の如き。

2　身體の側、卽ち要素の機械的聯關を唯一の存在根據と見なし、從つて人間に存する現象をば、それが心理的であるにしても、物理的であるにしても、各要素間の無目的な、機械的因果の系列と見、目的を追ふものゝ存在を否定するもの、近代ではレーブ(拙著、敎育學の對象と方法、四頁以下參照)やパヴロフ(黒田源次著、條件反射論、意識生活の生理的解釋參照)の說の如き。

3 精神の側を眞實在と見、他はこれに到る豫備、前階である。從つて精神が肉體に對して行爲の方向を與へるとなすもの。例へばナトルプが衝動、意志、理性的意志の三段を說き、從つて敎育學上體育については說かなかつた如きこれである。

4 內部體驗に對しては精神界の動機關聯として表はれ、外部知覺に對しては感性的に表現する自然の根原的結合として表はれる。精神と身體とは同一物を內容上では異つてゐるが、形式上では一樣に表現したものと見るもの、例へばシュテルンの心物中性說(Stern, William: Ableitung und Grundlehre des Kritischen Personalismus. S. 157. ff.や、マーンケ新單子論(Mahnke, Dietrich: Eine neue Monadologie. 1917. S. 61.)の如きこれである。

精神と身體との關係についての見方は大體前記四種に盡されてゐるやうであり、第一、第二の立場の取り難いこと並に我等の取り得べき立場は第四の立場であることについては、自分は既に拙著「敎育學の對象と方法」に於て說き盡した。今は第三の立場について考察したいと思ふ。

抑〻現代に於て第三の立場が主張せられる主要なる根據はカントが目的論に於て、有機體に於ける一般的機械關係の原理と目的論的原理との關係を論じた際に、前者は後者に從屬すると說いたこと、並に目的論的判斷力の方法論に於て、人間の價値は「自然から全く獨立して、合目的的に行爲する――自然の存在すらもただこの制約のもとに初めて目的となりうるやうに――ところのものによつて、吾人が自ら吾人の生活に賦與する價値の外はないのである」。（アカデミー版、第五卷、四三四頁、大西克禮譯本、五七七頁）こと、又「道德性並にそれに從屬する目的による因果性は自然原因を以てしては絕對に不可能である。」同上、原書　四三六頁、脚註、譯本、五八一頁）ことなどを强調したことにあるやうに思はれる。しかしながら目的の體系一般について論ずる場合には此等の點に重きをおくべきであらうが、一有機體内の身體と精神との關係を論ずる場合には後に說くであらうやうに、カントの文獻中他の個所を重視すべきでなからうか。我々が此の問題を解決するに當つて特に注意すべきは　（イ）有機體自體の判定の場合に於ける兩者の關係と　（ロ）理性の定立した目的體系の內部に於ける兩者の關係とを區別することである。この二者の區別を無みするとき、作用者、創造者としての精神と、精神によつて措定された目的との區別が曖昧となり、從つて精神と身體との關係が曖昧となるのではないかと思はれる。 精神が肉體に對して行爲の方法を與へるといふことは、嚴密に云へば有機體によつて措定せられた目的が、當該有機體にとつては客觀的規範として、要求として表はれ、有機體の運動の方向を限定するといふのであつて、精神と區別された意味の肉體に對して、肉體と區別された意味の精神が行爲の方向を與へるとは意味をなさない。 例へば志士、仁人が命を棄てるのは、身體を精神の手段としたと見るべきでなくして、彼等が命を棄てるのは、單に精神に對立した意味に於ての身體ばかりでなく、精神と身體とを含めた人格全體が理性の定立した一段高次の目的に從屬し、當該目的の遂行のために全人格を手段となすことを辭せない。 その結果、死を鴻毛の輕きに置くのであると見るべきでなからうか。 個別的人間が一段高次の價値の實現に從事するとき、當該個人に於ては全人格が高次の價値の手段となる。 この場合に於て精神と身體との關係を論ずることは無意義である。

抑〻吾人は精神と身體とをどれ程までに區別しうるのであらうか。

精神と身體とを區別することの最も起りやすき、且つ最も誤り易きものは、人間のなせる仕事が筋肉の勞働によつてなれるものと、思惟によつてなれるものとの二種に大別されることから、これに相應ずる能力者として、身體と精神との別ありと推定することである。しかしながら如何に筋肉勞働とは云へ、例へば鑛夫、船夫の仕事の如きも精神なくしてなしうるか。人間は如何なる場合に於ても、生きてゐる限り自律的な存在者であり、機械ではない。所謂ロボットではない。從つて精神のない身體のみを考へることは不可能であり、同時に身體のない精神を考へることは不可能である。精神身體區別論者に對して更に巨彈を放たう。近來心理學者、教育學者によつて高唱されてゐる知能をば、精神身體區別論者は精神に屬すると見るのか、身體に屬すると見るのか。軍隊布教師や工兵將校の有する知能が精神の側に屬するとは素人眼にも映ずることであるが、製靴工や農園勞働者の有する知能も精神の側に屬すると誰が斷言しうるか。所謂意識下にある精神やフライエルのいふ有機的機能とまで深められた能力(Freyer, Hans: Theorie des Objektiven Geistes. S. 55ff 參照)は身體精神の兩者の內何れの側に屬すると見るべきか。キルパトリックが學習作用と全有機體との關係について述べてゐるやうに(Kilpatrick, William, H.: A Reconstructed Theory of the Educative Process. Teachers College Record. March 1931. P.

534.)學習によつて得た行動についての新方法は凡て或程度迄全有機體を改造し、腺の再適應は云ふ迄もなく、情緒的變化も知的洞察も有機體の如何なる部分も學習毎に或程度迄變化を受けると見るべきであり、從つて身體と精神との兩者は不可分であり、楯の兩面と見るべきでなかろうか。 或はウィリアム・シュテルンの說くように人間は精神でも身體でもなく、寧ろ個別的な目的を追求する統一體であり、その精神的な表現も、身體的な表現も共に心物中性なることを知ることによつて初めて存在と意味とを得、かゝる根據からして人間の身體の方面も精神と同樣に、人間の定立する目的に、目的追求の動作に與かるものと見るべきでなかろうか。(Stern, William: Person und Sache Band II. Die Menschliche Persönlichkeit. 1923. S. 11—12. 參照)精神も身體も、それだけをとりて見れば不可分の人間から演繹せられた第二次的のものであり、逆に云へば兩者は不可分の人間に於て止揚されるものと見るべきでなかろうか。

精神と身體とが同一有機體の兩面であつて、一が他に從屬すべきでないことは人間の天職の決定に當つて一層よく現はれる。 例へば職業別平均知能水準表によつて、專門的職業(學者、宗敎家、美術家、新聞記者等)の平均知能が正の四・五七三であり、勞働(純筋肉勞動、例へば人夫、船夫、鑛夫等)の平均知能が負の二・〇七四であること等が既に判明し、(淡路圓治郎著、職業心理學、一三一頁以下參照)同時に自分の目前に居る被教育者の知能指數が判明し、その天職を決定する場合に、假りに純筋肉勞働を選んだとするときには當該被教育者にとつては、精神の側よりも寧ろ身體の側が優位を占めていたといふべきでなからうか。このことは、畫家が色彩の鑑別に關して優れたる視覺を、音學家が優れたる聽覺を有しなければならない、從つてその職業の適性檢査には有機體の中の、かゝる機關が重要なる役割を演ずることを知るとき一層明瞭となる。

これを要するに精神と身體とは不可分の人間から演繹せられた第二次的のものである。從つて自然物が我等人間に對して存するやうな意味に於て身體が精神の手段であつたり、活働の舞臺面であつてはならない。從つて精神と身體との關係は人間と自然物とが目的手段の關係に於て統一せられると同一の意味に於ては統一され得ない。

これと同樣に、精神的存在としての人間と、生物としての人間との關係は、人間と一般生物との目的-手段の關係のやうに、(例へば羊に向つて「汝の毛皮は汝の爲に與へられたるにはあらずして我が使用するために汝に與へられたのである」と人間の祖先が云へりといふやうな)統一されてはゐない。

これを要するに人間を構成する三種の次元は同一物の表現の差であつて、同一人間内に於ては目的手段の關係には統一されてゐないと見るのが最も妥當のやうに思はれる。しからば如何樣にして統一されてゐると見るべきか。この點に關して吾人は今一度カントの有機體に關する說を考察して見る必要がある。

カントは有機體については單なる機械論を以てしては說明出來ない限界がある。有機體は全體として見るべきこゝと自己生産(有機體は自己生産といふ點で時計と異なる)といふ特徵によつて合目的性のものと見なければならないとなした。而して先の機械論的見方とこの目的論的見方とは前者は悟性の立場から自然を構成規定し、その生産を說明する格率であり、後者は其の意味を反省的判斷力に由つて判斷する格率であるから、兩者は矛盾しないと說いたと見るのが普通の解釋のやうである。(哲學研究第九卷、田邊博士、カント目的論參照)しかしボムメルスハイムが指摘したやうに(Kant-Studien. Band XXIII. Paul Bommersheim: Der Begriff der Organischen Selbstregulation in Kants Kritik der Urteilskraft. S. 217. 219. 參照)有機體の成立條件が、無機的な自然内に存する又は存してゐたといふことが示されてある場合にのみ初めて、この有機體といふ特殊な機械が機械的に理解されるのである。機械論は有機體に關しては目的活動の本質をその外に置いてゐる。カント自身の言葉を用ひるならば、吾人は有機體の研究に於ては「機械觀其物を利用する所の根原的な組織を何處かに常に、根柢に置かなければならない。」(アカデミー版、第五卷、四一八頁)又ボムメルスハイムが論じたやうにカントの目的論的見方には、(a)判定の原理、(b)特殊の統一の原理、(c)發見の原理、(d)因果性の特殊の原理の四重の意味が含まれてゐるやうであり(Kant-Studien Band XXXII. Heft 2/3. S. 290 ff. Bommersheim, Paul: Der vierfache Sinn der inneren Zweckmässigkeit in Kants Philosoplie des Organischen.)就中問題となるのは特殊とその根據となる超感性である。超感性はカントのいふ如く機械觀でもなく又目的觀でもない。しかしそれは兩者を自然の判定に於ての結合を可能ならしむべき原理であり、機械的誘導と目的的誘導に對する共通の原理である。その存在は兩者の外にある。蓋しそれは兩者に對する根據を含むが故である。兩者が高次の唯一の原理から結合せられ、そこから共に流れ出る爲めには根據を含まなければならないから。しかし不幸にしてカントのいふ如く、吾人には超感性を洞察するの明は惠まれてゐない。吾人はそれについては如上の根據に關する不正確な概念を有するのみである。示すことは出來るが、明確に認識することは出來ないものである。

吾人は超感性を知ることは出來ない。從つて特殊を誘導するの原理なるものを知る由もない。從つて前述の一應は解決されたと思はれた、機械論對生命論については、ボムメルスハイムが指示したやうに(前掲の論文、三十九頁參照)次のやうな問題が提出される。卽ち、機械論が正しく成立するとすれば、有機體が生起する際の根據となる機械論の特殊の法則は如何樣にして成立するか。幾多の自然法則の中で、生命の構成要素に取つて必要な自然法則は、如何なる根據から成立するのか。生命の作用に適合するやうな自然的生起は如何樣にして成立するかゞ問題となる。かゝる特殊法則の問題こそは生命論にとつては眞の問題であらうが、しかし此の問題の解決は吾人の認識能力の圏外に、超感性の中にあると見るべきであらう。

從つて自分が先きに說いた三種の次元が同一人間內に於て如何樣にして統一されてゐるかといふことに關しては、我々の認識の限界外に存すると見るのが最も妥當のやうである。目的論と機械論とは次元を異にした見方であり、目的手段の關係に於て統一されると通俗には說かれてゐるが、しかしこの事は我々の有機體に對してどれ程迄に妥當するのであらうか。機械的因果關係が目的によつて規整しうるとしたならば、恰も技術家が諸機械を其の目的に隨つて規整する如くに、名醫はよく人體を規整し得る筈である。けれども如何なる名醫も人命を故意に、百二十歲、百五十歲と迄延すことは出來ない。人體に關し、機械的因果關係を目的關係に適用し得る範圍は比較的限定された範圍内のやうである。

シェーラーは有機體の立場からのみ眺めるならば人間は或意味に於て禁欲者である。……人間の自由意志と名けるものも亦、創造や發動の積極的な力ではなくして、寧ろ衝動や本能を抑壓し、防止するものである。動作に關係した意志作用は常に最初は「云々すれ勿れ」(Non fiat)であつて「云々せよ」(Fiat)ではないと說いてゐるのも意義あることとのやうに思はれる。(Scheler, Max: Die Formen des Wissens und die Bildung. 1925. S. 20—21. 參照)

尙最後に注意すべきは、前述の同一人格者内に於ける三次元間の相互關係と、人間の定立した目的體系とを混同しないことである。人間の定立した高次の目的體系中に於ては、人格者も目的手段の關係に置かれ、從つて同一人格内にある三種の次元も、同様に目的手段の關係に於て統一され得る事は、こゝに贅説を要しないであらう。この點に關して總明なるシュテルンに混同せる痕跡あるは遺憾に思ふ。

六　人間の研究方法

人間は第一次元的存在者として物質の集合と見られる點に於てその研究方法は物質的方法によりうる筈である。レーブが向日性を化學的、機械的に説明し、パヴロフが反射運動の統制に成功せる如き、更に又實驗教育學者が疲勞の研究、記憶作用の研究等に貢獻する所あつたのは所以あることである。カントの言葉を借りて云へば「自然のあらゆる所産と生起とを、その最も合目的々なるものをも、吾々の能力の許す限りに於ては、機械的に説明し」（カント全集、アカデミー版、第五卷、四一五頁、大西克禮譯本五三八頁）なければならない。「單なる目的論的根據のみを以てしては、若し是に自然の機械的關係が、言はゞ意圖的に作用する原因の道具立てとして加つて來なければ、斯かる存在者を同時に自然の所産として觀察し又判定するに充分でない。」（カント同上、原書、四二二頁、譯本、五五一頁）故に物質的機械的方法は一方からは不充分と非難されても尚存在の根據を有する譯である。即ち人間は第一次元的存在者として見られるときには要素的見方を取り、分解的方法を用ひなければならない。

人間は第二次的存在者として生物一般と共通性を有す。ドゥリーシュによりてなされた、生物は機械にあらざるものとの證明は人間にも適用されうる。卵が親鷄たるの素質を有し、一定の期間の經過の後には親鷄になると同樣に、匍匐だになし能はざる嬰兒も、やがては三軍を叱咤する鬼將軍となる。人間は單なる機械に非ずして自立的存在者であることの根據は既にこの次元に於て存すると見なければならない。從つて人間が第二次元的存在者と見られた時には、その研究の對象は要素でなくして全體であり、一般性を求めるのでなくして類型を求めるのであり、その方法は前述の如く比論的でなければならない。

一方に機械的方法を取りながら、他方に目的々方法を取ることとは矛盾のやうでもあるが、しかし兩者が超感性的な一つの原理の中に結合し得べきものでありうることの可能性が、客觀的に確められてゐるから、カントもいふやうにたゞ安じて兩方の原理に從つて諸〻の自然法則を追究して行つて差支へない」(カント、同上、四一三頁、譯本　五三三頁)であらう。

生が人間に統制出來るとするとき、こゝに優生學の存在の根據がある。卵が直ちに親鷄でないと同樣に嬰兒が同時に鬼將軍ではない。一人前の大人となる迄には一定の時間的經過を必要とする。こゝに保育の存在根據があり、ここにコメニウスやペスタロッチーによつて說かれた、敎育者の考慮すべき發展段階についての心理的根據があるのである。

第三次元の立場に立つとき初めて人間特有の方法が生ずる。

第二次元的立場にある生物にあつては、先祖代々同一事項を、同一生活を繰返すのであるが、人間にあつては子の代には親の代よりも一層內容豐富な(勿論人によつては先祖代々同一生活を繰返すのもあるが)生活をなす。個人によつて增加された部分は、相聚つて遂に所謂文化を構成する。第二次元の世界に於ては全然見る事を得なかつたこの第三次元特有の過剩的な要素を、後代者は前代者から、しかも一人前の人間となる迄に受取らなければならない。こゝに初めて單なる保育とは異つた、單なる母性愛から生ずるのとは異つた特有の事象が生ずる。所謂敎育作用はこれである。バルトやパウルゼンが、敎育の本質を文化の傳承にありと說いたことは、この立場から見るとき一應の理があるやうに思はれる。

この立場に立つて見るとき人間は超驗的動物であり、精神的存在者であつた。教育作用が何であるか、その本質如何の究明は文化哲學の解明に俟たなければならない。こゝに於てその方法は哲學的であることを要する。再びカント自身の言葉を借りていふならば「理性の目的の概念を俟つて始めて爲し得るやうなものはその機械的原因に拘らず、之を吾人の理性の本質的性質に應じて、結局は目的による因果性の下に從屬せしめなければならぬことを決して忘れ」（カント全集、前掲、四一五頁、譯本、五三八頁）てはならない。ナトルプが教育の目的は理念に關係せることであり、理念の問題は哲學のことであるから、教育學は哲學によらなければならないと唱へた點、その他フイヒテの説など、この次元に於て根據を有する限り、一面の眞理性を有するものと見なければならない。

更に又、人間が目的を追求する統一體であるとするとき、シユプランガー一派によつて提唱されてある價値構成の原理を追究する精神科學的心理學が重要なる貢獻をなすものと見なければならない。

人間はシエーラーも云つたやうに自然から見れば袋道であるが、同時に自由の出口である。存在に對して當爲を定立し、現實に對して理想を追究する。人間は超驗者である限り、靜止の狀態にあらずして運動の狀態にある。單なる個別的な運動の狀態でなくして、世界全體との相關の關係ある運動の狀態にある。從つてその把握は生成と同時に消滅を把へ、靜止と同時に運動を把へ、しかも兩者を止揚する立場たる辨證法によらなければならない。その認識能力は自然科學に於て見るやうな個々を分解し、客觀化する悟性ではなくして、個人的生命全體の創造力にあると見るべきであらう。

一見相反する如くに見ゆる經驗的立場と超驗的立場との對立は必しも止揚しえざるものにあらざること、又リットの說く辨證論的立場の不充分なる點については自分は既に「哲學的敎育學と經驗的敎育學との止揚點について（哲學研究、第十六卷、第二册）と題する論文に於て既に論じたことであるから、こゝに再び繰返すことを止める。

最後に第三次元的存在の認識については看過することの出來ない重要なる限界のあることに注意しなければならない。即ち吾人の體驗の焦點は常に心であり、心は單に個々の心なるが故に、吾人の認識する超個人的精神も亦常に個別的な體驗圖式の影響を受けてゐる。精神を最もよく知る人は、最も多く精神的に敎養のある人である。けれども彼と雖も人間たるに止まる。シュプランガーの言葉を借りて述べるならば、吾人は精神と稱する生命の織物をば、主觀-客觀-關係といふ性質を帶びてゐる所の一定の生命關係に於てのみ、從つて主觀の精神が客觀の精神に對する根本圖式に從つて捉へうるのみ。文化現象は主觀-客觀-關係の永遠の回歸的形式の下にある。その中には恒常的な意味が內在するとも、主觀の構造も客觀精神の構造も共に歷史的な變化を受けてゐる。（シュプランガー前揭の論文、International Zeitschrift für Erziehungswissenschaft. Dritter Jahrgang. Zweites Heft. 一六六頁參照）完全に捉へえたと思はれた超個人的精神乃至は世界精神も、特稱否定命題の出現によつて變革を受けること、自然科學に於ての全稱肯定命題が特稱否定命題の出現によつて變革を受けると異らないであらう。

× × ×

これを要するに人間の研究方法として擧げた、第一次元的存在者に對する自然科學的方法も、第二次元的存在者に對する生物學方法も、第三次元的存在者に對する精神科學的方法も、共に人間の研究に對して併立し、三者は其の時、其の人の目的の體系によつて統一さるべきものと見るべきでなからうか。

今まで述べた各次元の特徴、研究の對象並に方法を圖表すると次のやうである。

人間の構成次元とその特徴、研究の對象並にその方法

次元 / 特徴判定の標準	第一次元	第二次元	第三次元
一般特徴	物質	生活體	人格者
生誕乃至創造作用	同一要素の變形	生殖作用による生誕	創造作用による他物の生産
存在の條件	孤立存在	環境に依存	環境と歴史とに依存
動作の動因	物理的	合目的	價値の追求
存續の樣態	固定	子孫の繼承同一狀態の繰返	發展
統一の樣態	集合又は機械的統一	有機的統一	超驗的統一
研究の對象	一般性	類型	個性
研究の方法	自然科學的（演繹、歸納）	形態科學的（比論）	精神科學的（理解）

七　教育學にとりて新方法の在來の方法に比し優れる點

自分の提唱する新方法が在來の方法に比し優れる點を列擧するならば次のやうである。

1. 單なる人間の特異點のみに着眼せずして、全體としての人間に着眼したこと、從つて、從來は動物と共通に有すること、して蔑視せられてゐた事柄と、神と共通に有するものとして崇められてゐた事柄とが、內容上の高下の差あるは別として、少くとも方法論上に於ては同等の權利を認められたこと。啻に生物と共通な點ばかりでなく、物質と見られる點迄もが方法論上に於ては同等の權利を以て認められるといふことである。

2. 前述の見方から必然に所謂自然科學的方法によつた實驗的研究や、生物學的立場の敎へる點が、從來は單に敎育といふ立場から必要なる限度に於てのみ採用されてゐたのが、今は反對に具體的人間の構成、要素として、人間理解には不可缺の要素となり、このものによつて敎育作用の本質の一部が照明さるるに到つたことである。

3. 人間のみに特有と自惚れてゐたことが生物界にもあることが判明するにつれ、基礎づけの仕方に變更を生じたこと。例へば教育學の基礎を專ら社會に置くとか、意志の優越性の證明に非常なる努力を拂ふ必要がなくなる。

4. 人間の力の及び得る所と及び得ない所との限界、又及び得る所にしても、如何なる方法に於て及び得るかゞ判明すること。例へば人間が生命を作り得ない限り、教育者は人間生具の自律性を作る事は出來ない。カントも云へる如く、構想力の作用は人爲の外にある。糞土の牆は彫るべからずだ、といふことが判明したこと。生命にとつて躍動的な力となるものは生活に於てのみ得られるといふこと、自律力を助成することは自から生活せしめる外にないこと、これに反し、表象とか、概念とかは人爲的に供給し得るといふ事等の論理的根據がはつきり把握しうることである。

5. 一部の教育學者は養護論をば教育學の體系から除外してゐる。しかし傳統的教育學に於ては然るべき地位を占め、實際の教育上に於ても智育と併稱される程に重要視されてゐる體育の問題が、教育學の體系中にその座を占めないとあつては、一般常識はこれを訝らざるを得ない。身體の問題は生理學、衛生學等醫學上の智識を必要とすること多大であつて、敎育學者の手を染める部分は少いといふ事は事實であるが、それだから身體の問題は敎育學者は不問に付しても差支へないといふ理由は引出されない。

又身體は精神の從僕であるから、精神が求める程度に於てのみ敎育學の問題中に入り來ると說く學者もあるが、しかし人間の天職の遂行上に於て、身體が精神と同等の、或はより以上の役目を演ずる事はないであらうか。身體の精神に對する必要さは、川を渡る人に取つてなす船の役目程に輕いものではない。船なくしても人は他の方法によりてよく河を越えうる。人は身體なくしては精神の働き樣もない。敎育上に於ては身體はガイストと同樣に尊重すべきでなからうか。

身體の問題を敎育學の領域から除外するに到つたのは、敎育學の建設をば人間存在の特徵ある部分に於てのみ、その根據を求め、全體としての人間を逸したためではあるまいか。自分のいふ新方法を取るとき、身體は重要なる問題として表はれ敎育學の體系中に缺くべからざる地位を占めることゝなる。

新方法の在來の方法に比し優れる點は大要右のやうに列擧し得るが、更に新方法の效果を一層明瞭にするため、敎育の本質問題を論究したいのであるが、都合上他の機會に讓ることゝした。

二程子の實踐哲學

後藤俊瑞

目次

序言

一、二程全書に收錄する所の二程子の語には、兄弟の何れに屬すべきか判然しないものが甚だ多く、而も其等の語中には思想的に金玉の響を傳へるものも少なくない。故に余は初め所屬の判然たる資料のみに據つて、先づ二子の學說を組織し、以つて其の各々の特色を把握し、而る後翻つて所屬不明の資料に及び、類を批して明かに知り得るものあれば適宜之を分採して其の組織の足らざるを補つた。

一、各章節に於いては、初め程明道の說を擧げ、次に程伊川の說を揭げ、其間一線を畫して兩者の區別を明かにした。

一、二程子の哲學に關しては既に文學博士宇野哲人先生の著書がある。必讀の名著であるから讀者は、先づ博士の該書を繙かれんことを切にお勸めしたいと思ふ。

一、此小論文の幾多不備なる點は、大方諸賢の叱正を仰いで一日も早く訂正したい。

第一章　二程子略傳

程明道の比較的詳細なる傳記は、彼の弟伊川の作「明道先生行狀」に讓り、此には唯だ其概略を述べることとする。

明道は姓は程、名は顥、字は伯淳、弟の伊川に對して大程子といふ。河南洛陽の人。宋の仁宗皇帝の明道元年(後一條天皇長元五年西曆一〇三二年)に生る。父は名を珦、字を伯温といひ、温厚篤實大中大夫に任ぜられた。明道は其の第三子である。母は侯氏、非常な賢夫人であつた。

明道は幼にして神氣秀爽、常兒と大いに異つてゐた。四五歲にして旣に詩書を誦して强記人に絕し、十歲能く詩賦を爲した。十三歲多くの兒と庠序の中に群居せる際も老成人の如き態度があつた。戶部侍郎の彭思永も庠序に來て彼を一見し、妻すに已の女を以つてした程である。二十六歲進士となり、京兆府鄠縣主簿に任ぜられた。其の間獄訟を斷すること公平に、迷信を禁ずること巧妙に、水害を除くこと完全であつた。當路者其の手腕に敬服し、彼を推薦せんと欲して其の欲する所を問うた。然るに彼は「士を薦むるには當に才の堪ふる所を以つてすべきで、欲する所を問ふべきではない」とて之を辭したといふ。後間もなく江寧府上元縣主簿となつた。其の間彼は稅制の改革、官衙に於ける手續の簡單化を實行した。次いで澤州晋城令に移つた。其の間彼は民に學問を奬め道德を敎へた。郷民彼の敎化をうけて惡人は姿を消すに至つた。其他、或は物價の均衡を保たしめ、或は資金融通の道を講じ、或は義勇軍を訓錬する等治績は大いに上つた。明道常に云ふ「一命の士苟も心を物を愛するに存せば、人に於いて必ず濟ふ所あり」と。

熙寧の初、太子中允權監察御史裏行となる。神宗皇帝既に明道の名を知り、召見し給ふ每に之に咨訪せられ、彼が退かんとする每に皇帝は必ず頻りに來るべし、常に相見んと欲すと仰せられた。明道の進言は前後其數甚だ多かつたが、其大要は心を正し欲を窒ぎ賢を求め材を育する點に在り、決して辭辯を飾らず、獨り誠意を以つて人主を感動せしめたのである。時に王安石は日に益々信用せられたが、明道の天子に對する態度は少しも變らなかつた。或時治道を極論したが、神宗之を聞いてのたまはく、此れ堯舜の事、朕何ぞ敢へて當らんと。明道乃ち愀然として曰く、陛下の此の言天下の福に非ざるなりと。やがて安石政を執つて法令を改めんと試みたので反對者も多く出た。而して明道も其一人であつた。嘗て中堂に安石と論じた時、安石は聲を厲まし顏色を怒らして明道に接した。明道徐ろに口を開いて曰く、此れ天下の事にして一家の私議に非ず。願はくは氣を平かにして以つて聽けと。流石の安石も愧ぢて服したといふ。安石は明道と意見こそ合はなかつたが、明道の忠誠には少なからず動かされてゐたので、明道に對してはさして怒を含まなかつたのである。而し明道は己の意見が容易に容れられないので遂に言責を去らんと請うた。神宗は猶ほ彼の去るを惜しみ、十數回の上章や面請にもかゝはらず許したまはなかつたので、彼は遂に門を閉ぢて罪を待つた。後僉書鎭寧軍判官に任ぜられた。明道之に處して精勵し、事大小となく必ず其の當を得て始めて止むといふ狀態で此の間又も幾多の治績を擧げたのである。間もなく太常丞に遷り其後扶溝縣に知となる。彼が些細な出來事から其の責を負うて此の職を罷めんとした時、心から留任運動を上司に向つて試みた者が千名以上もあり、愈ゝ去る時には誰にも知らせなかつたのに、老幼數百人が後を追うて境上に來り、別れを惜んで號泣したといふ。かくて彼は汝州酒稅監となつたのである。哲宗位を嗣ぐや、政を一新し賢德を登用せられたが、明道も輿望を負うて召され宗正寺丞となつた。而し未だ行かざるに疾を得て卒した。時に元豐八年六月十五日(白河天皇應德二年西暦一〇八五年)。享年五十四。寧宗の嘉定十三年には純公と謚をたまひ理宗の淳祐元年には、河南伯に封ぜられ孔子の廟に從祀せらるゝに至つた。

　明道は資性既に人に異つてゐたが其修養も亦よく道にかなつてゐた。誠に純粹なること精金の如く、溫潤なることと良玉の如くで、春陽の溫か味があり、時雨の潤ひがあつた。寛大柔和ではあつたがよく引き締つてゐた。門人劉立之は云ふ「立之先生に從ふこと三十年、未だ嘗て其の忿厲の容を見ず」と。初め安石の新法に極力反對したが、既にして安石之を施行するに及んでは退いて自ら責めて曰く「新政の改また是れ吾黨之を爭ふこと太だ過ぎて今日の事を成就し天下を塗炭にせり。須らく其罪を兩分して可なり」と。又以つて彼の爲人を知ることが出來よう。彼は常に己を持するに敬を以つてし、外は恕を以つて行を正した。其の忠誠は金石をも貫き、其の孝弟は神明にも通ずる慨があつた。十五六歳の時、弟伊川と共に汝南の周茂叔が道を論するを聞き、遂に科擧の業を厭ひ慨然として道を求むる志を起したが、未だ其要を知らず、諸家に泛濫し、老釋に出入して、殆んど十年を費して了つた。此に至つて飜然六經に返り、始めて正道を知るを得たのである。彼には門人が多かつたが、其の之を敎育するや其の言は實に平易で知り易く、賢愚となくよく理解するを得たので、皆充分に其益を受くることが出來た。常に敎へて致知から知止に、誠意から平天下に、灑掃應對から窮理盡性にと、其序に循つて徐々に進むべく、近を捨てゝ遠に趨き、下きに處つて高きを窺ふが如きは卒に得る所がないと戒めて居つた。一方道を塞ぐものは異端と考へ、異端に對しては極力之を辨じたのである。彼は孟子沒して聖學傳はらずと考へ、斯文を興起するを以つて己の任とした。其の言に曰く「道の明かならざるは異端之を害せるなり。昔の害は近くして知り易く、今の害は深くして辨じ難し。昔の人を惑はすや其の迷暗に乘じ、今の人に入るや其の高明による。自らは神を窮め化を知るといふも、而も以つて物を開き務を爲すに足らず。言は周徧ならざるなきも實は倫理を外にす。神を窮め微を極むるも、而も以つて堯舜の道に入るべからず。天下の學淺陋固滯に非ざれば、則ち必ず此に入る。道の明かならざるより邪誕妖異の說競起し、生民の耳目を塗して天下を汙濁に溺れしむ。高才明智と雖も見聞に膠し、醉生夢死自ら覺らざるなり。是れ皆正路の蓁蕪聖門の蔽塞、之を闢いて而る後以つて道に入るべしと。彼が政をなし惡を治るむや、常に寛大を以つてし、煩瑣なる事件に處しても餘裕綽々、法令の繁密なる時も責任を逃れるような態度はとらず悠然として之に當り、艱難倉卒の際に處しても亦聲色を動かさなかつた。彼が設けた綱條法度は萬人のよく從ひ實行し得るものであつた。彼民を道けば民之に從ひ、民に求めずして民應じ、未だ民に信を施さずして而も民信を置いた點は、到底他人の及ばざる所であつた。人格此くの如くであつたから彼の怒りに遭ふも人怨まず、狡僞の者も其の謀を致し、暴慢の者も其の恭を致し、風を聞く者は皆服し、德を觀る者は皆心醉するといふ有樣であつた。彼に反對する人々も私かに彼を以つて君子と考へたのである。文潞公は衆議を採つて之が爲めに其の墓に表して「明道先生」といつた。

伊川撰の「明道先生行狀」に曰く

先生學を爲す、十五六の時より汝南の周茂叔の道を論ずるを聞き、遂に科擧の業を厭ひ、慨然として道を求むるの志あり。未だ其の要を知らず。諸家に泛濫し老釋に出入する者幾んど十年、返つて諸を六經に求め而る後之を得たり。

蓋し明道の父珦が安南軍に通判たる時、獄椽の周茂叔の甚だ年少なるに似ず、其の氣貌の常人に異なれるを察し、與に語つて其の學者たるを知り、已の二子を遣つて學を受けしめたのである。これ明道の十五六歲の時であつた。而して周氏が明道に敎へた所は、深遠な學理ではなくて、寧ろ道を樂しむことであつた。孔子顏淵の常に樂しめる所を悟つた吟風弄月の心境を得しめることにあつた。後年明道が常に自ら道を悟得して之に安住することに深い興味をもち、弟子に敎へて顏子を學んで其の樂しみし所を樂しむべしと戒めたのは、素より明道の資性の然らしめた所ではあるが、又周子の影響大なるものがあつたと言はねばならぬ。彼はかく周子に學んだのではあるが、而し其の學が悉く周子から出たものであると爲すことは出來ぬ。同行狀に所謂る諸家に泛濫し老釋に出入する者幾んど十年とは周子に學でんから後の事である。それでも滿足が出來ず、竟に六經に復り此に始めて道を求め得たのである。伊川序する所の明道の墓表にも「周公沒して聖人の道行はれず、孟軻死して聖人の道傳はらず、……先生千四百年の後に生れて不傳の學を遺經に得たり」と言つて居る。彼の學說に至つては、寧ろ彼自らが創めて組織した者といふべきであらう。されば彼は門人謝、上蔡に語つて「吾學受くる所ありと雖も、天理の二字は却つて是れ自家體貼し出し來る」といつて居るのである。

彼は進んでは將に斯人を覺せんとし、退いては將に之を書に明かにせんと欲した。然るに不幸早く死んだので十分に其目的を達することが出來なかつた。今日其の學說を窺ふに足るべき彼の著作の主なる者は門人の傳ふる所の語錄である。即ち

二程遺書　二五卷、附錄一卷

二程外書　　一二卷

　　共に朱子の序次せるもの二程子の語を錄す。

明道文集　　五卷

改正大學一篇　程氏經說卷五に收む。蓋し禮記中から推薦し己の考によつて錯簡を正したもの。

程伊川は姓は程、名は頤字は正叔謚は正公。明道の弟。宋仁宗の明道二年(後一條天皇長元六年西曆一〇三三年)に生る。幼にして高識があり、禮に非ざれば苟も動かなかつた。十四五歲の時兄明道と同じく業を舂陵の周茂叔に受けた。皇祐二年歲十八の時、上奏して仁宗に王道を以つて心と爲し生靈を念とし、世俗の論を退けて非常の功を期すべきを勸めた。太學に遊ぶ。時に胡瑗主して敎導に當る。胡瑗嘗て諸生に問うて曰く「顏子の好む所は何の學ぞ」と。因つて伊川も其答文を作つた所、其の論甚だ深淵にして正鵠を得たるが爲め、胡瑗大いに驚き、卽ちに引見して學職に置いた。呂希哲の如き當時の賢者も師禮を以つて彼に事へた位であつた。既にして四方の士の從游する者日に益々多きを加へた。治平熙寧の間、近臣は屢彼に仕官を薦めたが、學足らざれば仕ふるを欲せずと辭した。元豐八年哲宗位を嗣ぐや、門下侍郎の司馬光尚書左丞の呂公著、及び西京留守韓緯等共に彼の行義を朝廷に疏して曰く「伏して見るに河

南府の處士程頤は力學好古、貧に安んじ節を守り、言は必ず忠信、動は禮法に遵ふ。年五十を踰ゆるも仕進を求めず、眞に儒者の高蹈聖世の逸民、伏して望むらくは特に召命を加へ擢んずるに不次を以つてし、士類をして矜式する所あらしめん」と。十一月詔して西京國子監教授と爲した。而し伊川は之を再辭した。尋いで彼を召して祕書省校書郎と爲し、既に入つて見ゆるや、崇政殿說書に擢んでられた。伊川即ち上疏して「人民の善く其子弟を敎ゆる者は、必ず名德の士を延いて之に處らしめ、以つて薰陶性を成すものである。況んや陛下は春秋に富ませられる。たとひ天資英明にましましても、輔養の道は最も大切である。大率ね一日の中、賢士大夫に接する時を多くし、寺人宮女に親しむ時を少なくすれば、氣質は自ら變化して完きに至るであらう。願はくは名儒を選んで入つて講に侍せしめ、講罷めば之を留めて分直し、以つて訪問に備へられよ」と論じた。幼主を輔導すること懇至で、進講する毎に宿戒豫戒潛思存誠、以つて上意を感動せしめんことを希うた。彼は入つて上に侍する際は容貌端正、儼然として毫も假借する所がなかつた。嘗て天子が宮中に在つて盥して蟻を避けられたのを聞き、因つて上に曰く「願はくは陛下此心を推して以つて四海に及ぼしたまへ。これ帝王の要道なり」と。一日天子が檻に憑つて戯れに柳枝を折らるゝを見るや、伊川進んで曰く「春の發生に方つては故なくして摧折すべからず」と。在廷の諸公皆感歎して眞の侍講なりといつたといふ。門人も甚だ多く、伊川も亦天下を以つて自ら任じ、議論褒貶毫も避けなかつたのである。時に蘇東坡が翰林に在つて文名一世に高かつたので、東坡に從ふ者も亦甚だ多かつた。此に於いて互に黨を設けて誣詈排擊するようにまでなり、伊川の爲す所を迂遠なりとし、其の剛直を悅ばざるものが大臣の間にも生じて來た。偶ま諫議大夫の孔文仲は東坡に訪はれて奏上し、伊川を詆りて五鬼の魁とし、田里に放還せんことを請ふに至つた。これが元祐の黨禍である。此に於て伊川は久しく其位に安んずることが出來ず、遂に出されて管勾西京國子監となつた。後紹聖四年には遂に涪州に竄せらるゝに至つた。貶謫中に易傳を成して之に序したのである。

徽宗の位に卽くや、陝州に移され次いで其官を復されて洛に還つた。旣にして彼が邪說詖行を以つて衆聽を惑亂し、尹焞張繹之が羽翼を爲すと劾奏する者があつたので、彼は究問に遭ひ、學徒は悉く逐はれ、其の學は嚴禁せられた。然も四方の學者は猶ほ伊川に從つて去らなかつたので、伊川は之を諭して散ぜしめたといふ。大觀二年九月（鳥羽天皇天仁元年西曆一一〇八年）家に卒す。年七十五。理宗の淳祐元年伊陽伯に封ぜられ、孔子の廟に從祀せられた。

彼は資性嚴毅方直で、其兄明道の寬大なるとは大いに異つてゐた。朱光掞嘗て明道に見えて後人に語つて曰く「春風の中に在つて坐了せり」と。然るに游廣平・楊龜山等一日伊川に見えた所、伊川は方に坐して瞑目してゐたので、二人は侍立して敢へて去らなかつた。長時間の後、伊川漸く顧みて「二子猶此に在るか。日暮る。姑らく舍に就け」と云へば、二子退くや門外雪深きこと旣に尺餘に及んでゐたといふ。明道の溫和に比して伊川が如何に嚴正であつたかの一般が窺ひ知れるのである。司馬涑水は明道と語つて未だ嘗て逆つたことはなかつたが、伊川と語れば終日遂に一語の合するものがなかつたといふ。明道嘗て「異日よく人をして師道を尊嚴せしむる者は吾弟であるが、若し後學を接引し人材に隨つて之を成就する點となれば予は彼に讓らぬ」といつたことがあるが、確かに其言の如くであつた。彼が一度び其學を唱へて立つや、天下の學者は爭つて彼に從つたが、時には彼に背く者も生じて來た。彼が涪州に貶せられて再び歸つて來た時には其門人は皆離れて了つてゐた。唯だ楊龜山と謝上蔡の二人のみがよく伊川の學を守つて行つたので、伊川も大いに之を喜び「學者は皆禪に流れたのに唯だ楊謝の二君のみ長進するあり」といつた位である。世稱して伊川先生といふ。彼の著作には

易傳　　四卷

經說　　八卷

伊川文集　八卷

二程遺書　二五卷　附錄一卷

二程外書　一二卷

遺書外書中には伊川の議論要語が採入してある。

第二章　實踐哲學の理論的基礎論

第一節　實在生成論

宋代の儒者周濂溪邵康節張橫渠等は皆力を理論と實踐との二方面に致し、且つ兩者の關係を闡明することに力めたのであるが、程明道に至つては、主として力を實踐哲學に致し、自分も亦躬行を主とした故、其の理論哲學に對しては、極めて簡單且つ斷片的な資料しか存在しない。此に述べんとする彼の理論哲學說の如きも、かゝる僅かな資料から歸納して得た所のものである。

易　多くの學者が既に認めて居るやうに、明道の學が周易から出て居ることは言ふまでもない。其の實在生成論の如きも亦周易の範圍を出て居らぬといつてもよい位である。周易繫辭上に、天地設位、而易行乎其中矣とあり、明道此語を甚だ尊重し、天地生成の一大現象を道破せるものは此語であつて、人をして宇宙生成の現象を默識自得せしめんと欲して、特に易行乎其中矣と謂つたのであると考へ、屢〻門人に易の此語を語つたことは、遺書卷一一に明かである。此語の意義を釋することによつて彼の實在生成思想の展開は齎らされたわけである。彼曰く、生成之謂易（遺書卷一一）と。是れ天地が萬物を生成するを名づけて易といふと解するのである。易其中に行はるとは、天地の間に生成現象が行はれて居るといふ意である。彼曰く、天地設位、而易行乎其中、只是敬也、敬則無間斷（遺書卷一一）。詩に云ふ、維れ天の命あゝ穆として已まずと。蓋し天の天たる所以を曰ふなり、……純ら亦已まざるは此れ乃ち天の德なり（同卷一四）。「天は則ち言はずして信」（同卷一一）。かく生成の現象は決して止息あるものではない。純粹不斷に行はれて居るものである。かくの如きは是れ天地の忠恕である。萬物の生成を不斷不息と認める彼は、やがてこの天地の忠恕なる思想を創出したのである。忠恕は初めは專ら人に卽いて說いたものである。忠とは盡心（說文）、更に言へば盡中心（論語義疏）ことであるが、程子は盡己と解し、朱子は盡己之心と說き、淸朝の學者は多く誠意を以つて忠となして居る（毛奇齡四書改錯、劉寶楠論語正義等）。何れにしても略ぼ同義で、些の私欲なく、從つて我心が亂さるることなく正しくて、少しの間斷もなく純粹不雜である場合、之れ呼んで忠といふ。恕とは以己量人（新書道術）こと、更に言へば推己（中庸輯略上）こと、推己及人（中庸集註）ことである。推己とは推己之心（眞西山集問忠恕）ことである。己の欲する所は之を他人に施し、欲せざる所は之を施さぬが恕である。而し單に己の欲する所又は欲せざる所といふだけでは、己の不正な心を推す處もある。其處で忠の字を冠して、恕が決して己の不正の心を推すのでないことを明らかにしたのである。純粹不雜の心を推して人に及ぼすのが忠恕である。吾等が仁の德を涵養するための道德律として、行爲を規定するものが忠恕である。忠恕であることによつて、人に人道の實現が可能であり、溫かき對他的道德の滯りなき實現が可能である。忠恕は人類のかゝる行爲の道德律として、古來儒敎の唱道し來れるものであるが、明道に至つて中庸に忠恕違道不遠云々といふ道と、論語に夫子之道忠恕而已矣といふ道とは兩者全く同一概念で、共に孔子理想の道を意味すと解した結果、兩者の忠恕は其の概念異なると考へねばならぬ必要に迫られ、遂に中庸の忠恕を以つて生の不完全なるものとし、論語の忠恕を以つて熟した完全なるものと考へて、前者を努力を含む學者勉行の忠恕となし、後者を努力なくして自然によく然る天地無心聖人無爲の忠恕となし、維天之命於穆不已、不其忠乎、天地變化、草木蕃、不其恕乎（外書卷七）といふ。蓋し人の心の純粹不息に名づけた忠の字を、天地の心の純粹不息に類推して天地に忠をいひ更に人が己のこの純心を推して他人に及ぼし、以つて他人の生を遂げしめる所の恕が天地がその純心愛を推して、草木禽獸に及ぼし、以つて萬物を生成せしめる所に類推して天地に亦恕をいひ、かくて此に天地の忠恕をいふに至つたのである。彼が天地の忠恕を創説して以來、伊川朱子等錚々たる學者も此説を襲ふに至つた。

さて然らばかく天地の間に生成して止まぬ萬物は、果して何物によつて造り出されるのであらうか。萬物發生の根源は何であるか。天地生物、各無不足之理（遺書卷一）。「天地の大德を生といふ。天地絪縕して萬物化醇す」（同卷一二）。されば萬物の父母は天地である。天地が萬物生成の根源である。天地有つて始めて萬物は此の天地の間に生成して止まぬものであるが、然らば天地は何故よく萬物を生成し得るか。地氣不上騰、則天地不下降、天氣降而至於地、地中生物者皆天氣也（遺書卷一二）といふ。今天地が物を生ずといひ、或は天地の二氣昇降して物を生ずといふ。然らば天地と二氣とは如何なる關係に在るのであるか。天地の氣といへば氣の外別に一物の天地が在つて、それがかゝる氣を所有して居るのであるか。將た又、天地なるものが氣を創造するとでも考へるのであるか。否、彼に在つては然らず。遺書卷一一の古今異宜云々の本註に曰く、日月星辰皆氣也と。然るに又曰く、天地日月一般と。故に天地といふも氣に過ぎぬ。天地と二氣とは同一物の異名である。

天と呼ぶ氣は之を陽といひ、地と呼ぶ氣は之を陰と名付ける。天地は卽ち陽陰の二氣である。此の二氣互に上下して相感應せざれば萬物を化成することが出來ぬ。所謂天地絪縕するといふも陽陰の二氣互に感應すといふ意に外ならぬ。一方の氣のみにては物を生ぜぬ。物を生ずるには二氣相またねばならぬ。されば獨陰不生、獨陽不生（遺書卷一二）といふ。天地陰陽の二氣は動靜聚散する（遺書卷一二）。彼に在つては二氣の動靜聚散は卽ち相互に感應して萬物を生成消滅することである。而して其の生成に於ては、天は只施すことを主どり、地は受けて之を完成することを主どる。「萬物は天に本づくといひ、「萬物は形を地に成す（遺書卷五）といふが如き或は「天は只施を主どる。之を成するものは地なり」（遺書卷七）といひ、或は地中生物者皆天地也、惟無成、而代有終者地之道也（同卷一二）といふ類は此の意を表す。而してかゝる生成思想が卽ち周易のそれであること言ふまでもないのである。

萬物の差異　若し果して天地の二氣が互に相感應して萬物を生ずること上述の如くならば、萬物の間に存する諸種の差異は如何にして生ずるであらうか。彼答へて曰く、中之理至矣、獨陰不生、獨陽不生、偏則爲禽獸、爲夷狄、中則爲人（同卷一二）。人與物但氣有偏正耳、獨陰不成、獨陽不生、得陰陽之偏者爲鳥獸草木夷狄、受正氣者人也

（同巻一）と。故に萬物の差異は、受ける氣の偏正に基く。氣の偏正は二氣相感の形式に源がある。二氣の感應偏する時、其處に生ずる物の稟受すべき氣は偏して來る。かゝる氣を稟けたる物は禽獸草木である。二氣の感應中正を得る時、其處に生ずる物の稟受すべき氣は中正である。かゝる氣を稟けたる物が人類である。而して此に所謂る人と物との區別は精神的方面について言つて居るのである。人と物との形體上の差異に至つては彼は其原因を述べて居らぬ。獨り明道のみならず、特に宇宙論に精到なる説明を試みた朱子でさへ、其の説く所萬物の精神的差異の方面に詳にして、物理的差異は極めて簡單に之を取扱つて居る。これ蓋し人物の精神的差異は根本的第一義的のものであり、倫理を主として説くものにとつては最も注意深く闡明すべき問題であるに反し、物理的差異の如きは直接倫理には大した關係を有たぬものであるからである。明道が之を看過したのもそのためであつたのであらう。人物の差異には更に幸福的方面がある。人と物と、人と人と、若しくは物相互の間に於ける死生夭壽や富貴貧賤等の幸福上の差等は果して何に原因するか。苟も人生問題の解決を哲學に求めんとする者は、一應は此の問題にも注意を向くべきであらうが、明道は之についても一言も述べて居らぬ。伊川朱子に及んで氣運の盛衰と氣の高低厚薄とを假定して、漸く此の問題を解決したのである。

天地の大徳、生理　明道は天地について陰陽を説く外、更に天地の徳なるものを説き、此の徳を根據として萬物の性を説き心を説いた。天地之大徳曰生、天地絪縕萬物化醇、生之謂性、萬物之生意最可觀（遺書卷一二）といひ、「生々する之れ易といふ。是れ天の道となす所以なり。天は只是れ生をもつて道となす。此の生理を繼ぐ者は卽ち是れ善なり。善は卽ち一箇の元底の意志あり。元は善の長なり。萬物皆春意あり。便ち是れ之を繼ぐものは善なり。之を成すものは性なり（遺書卷二上）。彼の意を推すに、生々の大徳とは生々の活力である。天地は此の生々の力を有する。天地は陰陽であるが故に天地の此の力は卽ち陰陽二氣の力である。二氣を離れて此の力は存在するものではない。氣自らが有つ力である。此の力は上天の載で、無聲無臭、吾等の捕へ知る能はざるものである。之を呼んで生理といふ（遺書卷一）。それに基づく生成の現象が變化窮りない上から此の力を易と呼び（同卷二上）、又其現象に一定不變の條理がある所から之を道といひ、其の作用が思慮を絶せる點から之を神ともいひ、又此の力が人物に附與せられた點から之を性とも呼んで居る。

或は之を天地の心ともいふ。かく多方面から異なつた名稱を附するも、其の名付けらるゝ當體は一者である所から、彼は或は道卽性也（遺書卷一）性卽理（宋元學案卷一三）といふ。而して此の天地の大德によつて生じた萬物は、何れも皆其の天地の大德を完全に稟受する。萬物はたとひ氣質に正偏の差異があり、互に種々の相異があつても、稟受する此の大德の點から觀れば皆完全無缺で平等である。遺書卷一に「天地物を生ず。各足ざるの理なし。」「蓋し謂へらく、自家は元と是れ天然完全自足の物。」といひ、或は「自家の本質は元と是れ完足の物、少しく汚壞することを有れば、卽ち敬以つて之を治めて復た舊の如くならしむ。能く舊の如くならしむる所以の者は、蓋し自家の本質元と是れ完足の物なるが爲めなり」といへるは卽ち之を意味する。彼があらゆる機會に主張することを忘れなかつた萬物一體觀も、彼自らが言明して居る樣に、萬物が皆天地の大德生の理を完具するといふ思想が根據をなして居るのである（遺書卷二上）。今天地の二氣が感應して物を生ずるといひ、又天地の大德たる生の理が物を生ずともいふ。兩者の萬物生成に於ける關係は如何。恐らくは朱子等の如く生理の力によつて二氣の感應が行はれ、二氣の感應によつて萬物は生ずると考へたのであらうが明道に於いては此の點未だ十分に明らかではない。

伊川が萬物發生の思想を構成するに當つては、古くは周易の生々思想に基づき、近くは周濂溪の大極圖說から取り來つたことは此に贅言するまでもない。周易に於ては、易有太極、是生兩儀、兩儀生四象、四象生八卦（上繫辭）といひ、此の八卦を組合せて六十四卦を生ずる。而して此の六十四卦の中に宇宙の森羅萬象を包含せしめるのである。されば周易では宇宙萬象の根源を太極と爲すわけである。而るに周子は萬物の根源をあらはすに無極而太極といふ語を用ひた。彼に在つては、無極卽太極なるか、將た又無極は太極ならざるか。其の眞意を明瞭に理解せんには可成の困難を覺えしめる。されば一方には朱子の如く無極卽太極と主張する者があるかと思へば、又他方には無極は太極の上に存する實在だと主張する毛奇齡、伊藤東涯等の如き學者も出づるに至つた。而して朱子の前既に無極卽太極と解した者は此の伊川である。

無極太極　彼の易序に曰く、太極無極也と。且つ曰く、兩儀者陰陽也と。故に伊川に在つては、無極太極なる存在から陰陽が起つて來ると考へたのである。而して陰陽不相交遇、則萬物不生（程傳易姤）。萬物之生、負陰而抱陽、莫不有太極、莫不有兩儀

（易序）といへば、陰陽交つて萬物を生ずる時、太極は必ず其の中に具はり存する。そして之が卽ち萬物の性となるのである。

天地陰陽の二氣　然らば陰陽とは何か。凡氣參和交感則生、不和分散則死（宋元學案五行）といふより推せば、陰陽は卽ち氣である。然るに周易にては、有天地、然後有萬物（序卦）。天地不交而萬物不興（歸妹彖）といひて、萬物を生ずる者を以つて天地となす。從つて伊川も亦此の說を採つて、天地不交、則萬物何從而生（歸妹彖傳）、天地交、而萬物生於中……天地不交、則不生萬物（否卦程傳）と述べて居る。陰陽の二氣が萬物を生ずと主張しながら、又天地が萬物を生ずることをも主張する。後に述べるように、實は彼に在つては陰陽と天地とは異なるものではない。彼が天地二氣交感、而化生萬物（咸卦彖程傳）とか、天地陰陽之氣相交而和、則萬物生成（泰卦程傳）など云つて、天地と陰陽二氣とを併せ說く所以の眞意は此に在る。此に於て、陰陽の何れが天で何れが地であるかゞ問題であるが、若し從來の陰陽思想を持ち來つて此の問題を眺めるならば、それは殆ど自明に屬する程に明瞭な問題である。而し尙一應は彼の主張に考慮を拂はねばならぬことといふまでもない。泰卦程傳に云ふ。陽氣下降、陰氣上交也、陰陽和暢、則萬物生遂と。既に陽氣下降し陰氣上交すといへば、陽の氣は上に在り、陰の氣は下に在る。陽を天、陰を地と考へられ得る。蓋し氣有清濁(遺書卷一八)。其の清輕なる者は上つて天となり、重濁なるものは下つて地となるので、日月陰陽之精氣耳(傳恒卦)といふように、天地も亦氣其者に外ならないのである。上下に分れた天地の二氣が萬物を生ずる爲めには、其二氣が相交はらねばならぬ。交はらねば物を生成することは不可能である。二氣交和の可能については勿論周易に之を云ふ。泰卦☷☰の彖に、則是天地交、而萬物通也とあり、之に反し否卦☰☷の彖には、則是天地不交、而萬物不通也と見えて居る。地が上に在る時始めて二者の交和が行はれる。天の氣は上り地の氣は下る性質を有するが故に可能なのである。否卦のときは既に天が上り地が下つた象故、再び二氣の相會することは無いのである。然るに伊川は天降り地昇つて交はると說くこと前に引く所の如くである。是れ易の泰否の思想とは矛盾する。それでも尚彼の其の思想は周易に本づくものである。蓋し周易には泰否兩卦とは反對の思想も又存するからである。謙卦☷☶の彖に、天道下濟而光明、地道卑而上行とあり、咸卦☱☶の彖に、柔上而剛下、二氣感應、而以相與とあるは卽ち是である。伊川が易の泰否の交感思想を採らずして、反つて謙咸の思想をとりたるは、蓋し此の思想が一方周子の陽陰交感思想と調和一致する所あるが故であらう。否、寧ろ此の點では彼は周易によるよりは周子による方大であつたからといつた方が當つてゐるかも知れない。

さて、天地感而万物化生(彖咸)。二氣感應(上同)。天地が交はり感ずるは萬物を生ずる所以である。天の氣先づ動いて地に向ひ、地の氣感じて之に應ずるのである。天の氣先づ下り、而る後地の氣之に動かされて上る。天の能動と地の受動と相俟つて二氣の交感が起り、萬物の生成が行はれる。天先づ動かなければ萬物は生の始を得ぬ。之を萬物資始(彖乾)といふ。而し、地之に應じなければ萬物は生じ得ぬ。之を萬物資生(彖坤)といふ。伊川はやはり易の此の交感の思想を信じてゐたのである。

氣の屈伸　伊川は又氣の屈伸往來を説く。屈は往、伸は來のことで(經說卷八)更に言へば往屈は氣の散ずるをいひ、來伸は氣の聚まるをいふ。屈伸といひ、往來といひ、或は聚散といふも、畢竟同一の事實である。氣が伸び來つて聚まるとき物を生ずるが故に、それは陰陽二氣が交り感ずることである。氣が屈し往いて散ずるとき物は死滅する。聚まつて生じた物には生命がある。其の聚合は氣の單なる聚合ではなく、微妙な有機的結合である。散ずるは既存の結合の分解である。この分解は二氣の始めの獨立への復歸ではなくして、完全なる消滅である。物生則氣聚、死則散而歸盡（遺書卷下二）。かく氣の屈伸往來聚散によつて起る萬物の生滅是れ卽ち天地之化である。天地の化育といふも、陰陽の聚散に過ぎぬ（經說卷八）。而して天地の化育は一息も留まることなく不斷に行はれてゐるものである（宋元學案卷一五）。故に天地の二氣は些の間斷もなく常に上下して或は合し或は散じてゐるわけである。而し如何に間斷なく聚散屈伸してゐても、不必將既屈之氣、復爲方伸之氣（遺書卷一五）といふように、新たに聚合する氣は決して嘗て散じた古い氣ではない。聚合して事物を形成した上は、復た離散し始めるが、一旦離散した此氣は復び結合して新事物を生ずることはない。一旦散ずれば、それは消滅して天地の間に存在しなくなるものである。伸び來つて聚まる氣は常に新たなるもののみである。一旦離散した氣が復た結合するとせば、萬物生滅も畢竟氣の循環に過ぎぬこととなり、輪廻轉生の思想となる。是れ易の天地生々の思想と相反する。天地が生々して息まぬ以上、萬物發生も終始新たなる氣の作用と見なければならぬ。若謂既返之氣、復將爲方伸之氣、必資於此、則殊與天地之化不相似、天地之化自然生々不窮、更何復資於既斃之形既返之氣、以爲造化（遺書卷一五）。凡物之散、其氣遂盡、無復歸本原之理、天地之間如洪鑪、雖生物銷鑠亦盡、況既散之氣豈有復在、天地造化又焉用此既散之氣（同上）。

萬物を生ずる氣は極めて微細なるものであるが、生じた萬物は皆一定量を有つ。故に氣が物を生ずる爲めには非常に多く聚合しなければならぬ。物が大なれば大なるほど、その氣の數は多い。而して事物は一瞬の間に完成するものではない。氣が聚合して完全に一物を生ずるまでは、事物によつて異同こそあれ、何れも皆相當の時間を要する。氣が聚合の進行中は生長である。而し一物の生長中は氣の聚合のみが行はれてゐるのではない。離散の作用も亦相併んで行はれて居る。たゞ生長中は聚まる氣の方が多いのである。上述の如く氣から直接物を生ずるを彼は氣化と稱して居る。萬物は其初め皆氣化によつて生じたものである。「隕石無種、種於氣、麟亦無種、亦氣化、厥初生民亦如是」(遺書卷一五)といふ。一度び氣化によつて物が生ずれば、それからは男女兩性相交つて生々極まりない。之を種生(遺書卷一八)といふと呼ぶ。而し氣化は萬物發生の當初にのみ有つて今は全く行はれて居らぬといふのではない。「或は曰く、古に氣化有りて今氣化無きは何ぞや。曰く、兩般あり。全く是れ氣化して生ずる者あり。腐草螢と化するが若き是なり。既に是れ氣化合さに化すべき時に到つて自ら化すなり。氣化して生ずるの後にして種生する者あり。且つ人身の上に新衣服を著け、幾日過ぎて便ち蟣蝨其の間に生ずるあるが如き是れ氣化なり。氣既に化して後更に化せずんば更ち種を以つて生じ去る。此理甚だ明かなり」(遺書卷一八)。氣によつて生じた萬物に千差萬別の存するは其の氣に淳漓あるがためである(遺書卷一五)。而して人乃五行之秀、氣、此是天地清明純粹氣所生也(遺書卷一八)。得五行之秀者爲人(顏子所好學論)。人は萬物中特に其の優秀なる氣を受くるが故に最も靈である。既に五行の秀といへば、伊川が氣に陰陽を認める外、更に五行をも認め、これが物を生ずるとなしたことが推知せられる。而も伊川に在つては、其の五行の性質、陰陽二氣との關係、其の發生過程、及びそれが生ずる所の事物との關係等の諸問題は其の儘取り殘されて居るのである。

所以陰陽　遺書卷一五を繙く時、其處に次の如き言葉を發見する。道則自然生萬物、今夫春生夏長了一番、皆是道之生、……道則自然生々不息。されば萬物を生ずるものは又道ででもある。彼は云ふ、離了陰陽、更無道、所以陰陽者是道也、陰陽氣也、氣是形而下者、道是形而上者、形而上者則是密也(宋元學案卷一五)と。道は本來氣と不可分離の存在ではある。而し道卽氣ではない。氣の形而下なるに反し、道は形而上のものである。一陰一陽する所以が道である。更に言へば一陰一陽あらしめる原因となるものが卽ち道である。而して道と氣とが不可分離の存在であり、易序には太極者道也といふを見れば、氣の前先づ太極ありといふことは出來ぬ。既に太極あらば之と結合して其處には必ず氣が無ければならぬことになる。かく二者の存在が飽迄同時的であり、而も渾一的であるとすれば、太極動いて陽を生じ、靜まつて陰を生ずといふ周子の太極圖說の解釋も自ら限定せられて來る。即ち陰陽を生ずとは、先ず存する太極が、陰陽を創造するのではなくて、之を惹起すると解し、從つて陰陽となる迄の氣は既に初より太極と共に存在し、此氣が太極の力によつて陰陽に變化するまでの事であると考へられて來る。果して然らば、一氣の動いたときが即ち陽の氣、靜まつたときが陰の氣である。伊川は太極と氣との不離渾一を主張する者故、其の實在論は內在的理氣二元論といつてもよいであらうか。

理氣論　伊川の所謂理には二概念ある。其一は萬物の性を意味するもので、他の一は法則即ち道を意味する。性即是理(遺書卷一八)といふは前者に屬する。理也性也命也、三者未嘗有異、窮理則盡性、盡性則知天命、天命猶天道也(遺書卷二二下)といへば、性なる理は命であり、又天道である。而して天道は即ち太極なるが故に、性は又太極である。陰陽二氣が聚合して物の形體を生ずると、此氣に內在する太極が同時に其の形態に賦與せられる。此の太極が即ち物の性であること既述の如し。物の性はもと一太極なるが故に、萬物の性皆一者である。彼が性卽是理、理則自堯舜至於途人一也（遺書卷一八）といふは、人間相互の性の同一を認めるものである。獨り人間相互のみならず、一人の心卽天地の心、一物之理卽萬物之理、一日之運卽一歲の運（遺書卷上二）といふように、萬物悉く其性は同一である。此の性なる理は後にも說明するであらうように、實に一切の事象の根源を爲すものである。次に、法則を理と呼ぶ思想は彼に於ては勿論、廣く程朱學者一般の實踐哲學說に於いて、甚だ重要なる地位を占める思想である。古來天地人の三道が考へられて來たが、この三道も多くの場合法則を意味した。かゝる法則の概念を表はす語として、宋儒は道の字と共に盛んに理の字を用ひた。道卽法則卽理である。伊川が法則と道とを同一視したことは、周易乾卦程傳に天之法、則謂天道也といひ、明夷卦六二象程傳に則謂中正之道といふによつて窺知すべく、而して道を理と呼んだことは、前引の遺書卷二一下の理也性也命也云々の文によつても知れるであらうが、更に周易大壯卦象に大壯利貞、大者正也、正大而天地之情可見矣とある程傳に、正而大者道也、極正大之理、則天地之情可見矣、天地之道常久而不已者、至大至正也、正大之理、學者默識心通可也といひ、賁卦程傳に天文天理也、人文人之道也といふの互文なるによつても知ることが出來るであらう。此等は卽ち道卽法則を理といふものである。而して太極は之を道といふ故太極も亦理であると考へたといへよう。

上に引く所の賁卦程傳に天文天理也、人文人之道也といふ所の天文を解して更に曰く、天文謂日月星辰之錯列寒暑陰陽之代變と。錯列は雜然として渾在するの謂ではない。整然として秩序を保つて存在するをいふ。此の秩序は恆久不變に保たれて居るものである。日月星辰が整然として存在するが故に之を文といふのである。不變の此の秩序は卽ち天體が從つて動く所の法則であつて、之を日月星辰の理といふのである。陰陽寒暑の代變にも亦不變の秩序があり恆久の法則が行はれて居る。此の法則が卽ち陰陽寒暑の理である。易恒卦象に云ふ、天地之道恆久而不已也と。程傳に曰く、天地之所以不已、蓋有恆久之道、人能恒於可恆之道、則合天地之理也と。蓋し天地は生成する。この生成の現象は已まぬ。已まざる所に天地の法則がある。この法則が天地の理であり又道である。生成して息まざる時、天地の道は已まず行はれてゐるわけである。之を恆久而不已といふ。故に一定の現象が不變に行はれる時、此現象を有つ當體が順ひ由るべき道は行はれて居るわけである。これ卽ち現象全き時法則の實現亦全きをいふのであるが、又之と逆の考方も可能である。恒卦彖に、日月得天、而能久照、四時變化、而能久成とあり、程傳に曰く、此極言常理、日月陰陽之精氣耳、唯其順天之道、往來盈縮、故能久照而不已、得天、順天理也、四時陰陽之氣耳、往來變化、生成萬物、亦以得天故常久不已と。一定の現象が不變に行はるゝ時、此の現象をもつ當體から言へば、己の順ふべき法則に順つて居るのである。若し現象が恆久に連續して行はれず、終始斷續することあらば、此の當體は己の法則に順つて居らぬのである。當體が法則に順へば其の現象は善く行はれ、順はなければ現象は斷續して恆久已まぬことはあり得ない。これ即ち法則の實現全きとき、現象も亦全きをいふのである。要之、一陰一陽交代するところに陰陽の道があり、生成息まぬところに天地の道がある。盈縮照明に日月の道があり、往來變化に四時の道がある。獨り此等のに道があり理があるのみならず、凡そ一事一物の上皆それの順ふべき道があり理が存することは、遺書卷十八に、有物必有則、一物須有一理といひ、易艮卦彖程傳に、夫有物必有則といふによつて明らかである。現象の認識が極めて容易であるに反し、道の認識はそれが形而上の至つて幽微なるものなるが故に甚だ困難である。人は唯だ之を心に默識自得するより外はない。而して至微者理也、至著者象也、體用一源顯微无間（易傳）

序）とか、至顯者莫如事、至微者莫如理、而事理一致、微顯一源（遺書卷二五）などといふように、道と事象は決して各獨立に離れて存するのではなく、二者は相卽不離なるが故に、事象に卽して其の道を知るべきである。

然らば問ふ、此の道卽ち法則と事象との存立は如何にして可能であらうか。伊川は易繫辭上に、仰以觀於天文、俯以察於地理、是故知幽明之故とあるを詳説して、而復仰觀天文、俯察地理、驗之著見之跡、故能知幽明之故、在理爲幽、成象爲明、知幽明之故、知理與物之所以然也（經說卷一）と云つて居る。所謂る物とは事象の事である。事象に法則が內在する。今彼が其の理と其物との然る所以を知るといへば、法則と事象との二者の根源ありと爲することは明らかである。換言すれば、二者の存在、性質及び關係等の根源が、更に此の二者の奧に存在するを認めて居るわけである。果して然らば、法則と同一なる理は決して究極のものではない。此の理の上に一層高い何物かゞ更に其の存在根據として有るわけである。事象其の者の存在も亦、之に內在する理を終局の根據とするのではない。事象は法則の內容とはなるが法則の所產ではない。事象も亦其法則以外の何物かによつて、存在を與へられるものである。然らば何ものが二者の存在根源であるか。遺書卷一五に、物理須是要窮、若言天地之所以高深、鬼神之所以幽顯、若言天只是高、地只是深、只是已辭更有甚といふ。苟も物の理を極める以上は、天地の高深そのものを知るのみにては足らぬ。更に其の高深なる所以の根源をも窮め知るべきであると主張する。而して此の根源は彼に在つては性である。性なる理は法則の理よりも一段根本的な存在であつて、後者は前者によつて其の存在を與へられる。事象其者も亦此性によつて發現する。事象と法則とは共に性の外的發展である。

氣は天地の初既に太極と共に存在する實在であること、及び其は極めて微細なる物質であつて、其の聚散が萬物形體の生滅現象を惹起するものであること、並に此氣に清濁の質の差がある所から萬物にも差が生ずること等については、既に生成論の條に於て時に應じて簡單に述べて置いた所であるが、此に彼の理の概念を明かにした關係上、今一度氣の概念にも觸て置き度いと思ふ。抑〻天地の間に充滿して屈伸往來せる微細な氣は、それ自ら各々異なつた性質を有する。遺書卷一八に、氣有清濁といふように、氣の質は之を清と濁との二つに分つことが出來る。而して、稟其清者爲賢、稟其濁者爲愚（同上）。賢者と愚者との分るる所以は氣の此の質的差異に基く。しかし此の清濁の區別は極めて大體の分ち方である。遺書卷二二上に、又問、才出於氣否、曰氣淸則才善、氣濁則才惡、禀得至淸之氣生者爲聖人禀得至濁之氣生爲惡人といへば淸なるものの中にも至淸なるものがあり、濁なるものの中にも至濁なるものがある。至濁なるものより次第に淸の程度を增して竟に至淸に至る。其の中間には無數の段階がある。故に之を禀ける人類に在つても亦千萬品の相異があるわけである。至淸の聖人と淸の賢者、濁の愚人と至濁の惡人、大體はかく四等に區別はするものの、其等の間には尙種々の差等ある人々が多數存在するわけである。人類を分つて四等とするは大略の論に過ぎぬ。經說卷八に云ふ、人受天地之中、其生也、具有天地之德、柔强昏明之質雖異、其心之所同者皆然、特蔽有淺深、故別而爲昏明、禀有多寡、故分而爲强柔と。さらば濁氣を禀くること多ければ多いほど其蔽は深い。蔽深き者は其智昏く、淺き者は明である。禀氣の淸濁が聖愚の別を生ずるは、畢竟氣に性の活動を防げる特殊の力を有するからである。人類には上述の如き千差萬別が存在するにしても、而し相互は人類といふ一概念に悉く包含し得られるもので、其の間本質的に相近似せるものである。人類と禽獸草木との間に至つては、たとひ同じく天地の理と氣とを禀くるが故に相近しとは云ひ得るにしても、尙其の間に大なる相異の存することは到底人類相互に於けるが如き比ではない。同じく天地の理氣を禀けながら、人と物と何故に大なる差あるか。人は淸氣を禀くるに反し、物は濁氣を禀ける。人は氣を正しく禀けてよく開通するも、物は偏して禀けて竟に閉塞し終る。性は此の故に人に在つては自由に活動する可能があり、物に在つてはそれがない。たゞ蜂蟻が其の君を衞り、豺獺が祭祀を知るが如きは僅かに天理の通ずるものである(遺書卷一七)。氣の質的差異は伊川に在つては未だ十分詳細ではない。而るに朱子に至つては、通塞正偏を說き、通氣に又淸濁の別を設け、正氣に又美惡の別を立て、人は正にして通ずる氣を禀くるも、物は偏して塞がる氣を禀けるとて、人物の差異の原因を說くこと更に詳かなるを得たのである。

伊川は又此氣に盛衰の運あることを說き、以つて時代の盛衰人類の禍福を說明せんと試みた。遺書卷十五に曰く、觀三代之時、生多少聖人、後世至命何故寂寥未聞、蓋氣自是有盛、則必有衰、衰則終必復盛、若冬不春、夜不晝、則氣化息矣と。又曰く「時に古今風氣人物の異ある所以の者は何ぞや。氣に淳漓あり。自然の理、盛有れば必ず衰あり。終有れば則ち必ず始有り。晝有れば則ち必ず夜あり。之を一片の地に譬へん。始めて荒田を開けば則ちその收穀倍す。其の久しきに及んでは一歲は一歳より薄し。　氣亦盛衰あるが故なり」。又遺書卷十八に曰く「更に堯舜の民の如き、何故に仁壽、桀紂の民は何故に鄙夭、纔かに仁ならば便ち壽、纔かに鄙ならば便ち夭、壽夭は乃ち是れ善惡の氣の致す所、仁は則ち善氣なり。感ずる所の者亦善。善氣の生ずる所、安んぞ壽ならざるを得ん。鄙は則ち惡氣なり。感ずる所の者亦惡。惡氣の生ずる所、安んぞ夭ならざるを得ん」。「問ふ上古は人多く壽、後世古に及ばざるは何ぞや。是れ氣なる莫きや否や。曰く氣は便ち是れ命なり。曰く、今人は古人の壽なるに若かず。是れ盛衰の理か。曰く盛衰の運は理會し難し。且らく歴代を以つて是を言はんに、二帝三王を盛と爲し、後世を衰と爲す。一代もて之を言はんに、文武成康を盛と爲し、幽厲平桓を衰と爲す。一君を以つて之を言はんに、開元を盛と爲し、天寶を衰と爲す。一歳を以つてすれば、則ち春夏を盛と爲し、秋冬を衰と爲す。一月を以つてすれば、則ち上旬を盛と爲し、下旬を衰と爲す。一日を以てすれば、則ち寅卯を盛と爲し、戌亥を衰と爲す。一時も亦然り。人生百年の如き、五十以前を盛と爲し、五十以後を衰と爲す。然れども衰へて復た盛なるものあり。衰へて復た反らざるものあり。若し大運を擧げて言へば、則ち三王は五帝の盛に如かず。兩漢は三王の盛に如かず。又其下は漢の盛に如かず。其中間に至つては又多少の盛衰あり。三代衰へて漢盛んに、漢衰へて魏盛んなるが如し。此は是れ衰へて復た盛んなるの理、譬へば月既に晦なれば則ち再び生じ、四時往いて復た來るが如きなり。若し天地の大運を論じて、其の大體を擧げて言へば、則ち日に衰削の理有り。人生百年の如き、赤子と雖も才かに生るゝこと一日なれば、便ち是れ一日を減ずるなり。形體日に自ら長じて、數日にして自ら減ずるも相害せざるなり」。惟ふに氣運の盛なる時に存する氣は、其の衰へたる時の氣よりも善、若し氣運盛にして其氣善なる時、此氣を稟けて生るゝ人は、總體的に長壽幸福であり、氣運衰へて其の氣不善なる時、此氣を稟けて生るゝ人は夭折不幸である。世運の消長も一に氣運の盛衰による。而してかく盛衰ある氣も亦清濁の氣に外ならぬのである。

氣の思想と結合して鬼神魂魄の思想がある。鬼神は從來は妖怪變化甚だ懼怖すべき者であると考へられて來たのであるが、宋代性理學者に至つて此の思想は根本的に訂正せられた。性理學者は一切の事象を自己の哲學的立場から理論的に解釋せんと試みた故、世の中の凡ての不思議は不思議でなくなつた。それでも尙不思議とする者は、未だ理氣の本質を充分に理解せざるものであるといふことになつた。鬼神や魂魄は從來取扱はれて來たものの中でも不思議中の不思議であつたが、それが伊川に於ては一片の氣の作用に過ぎないものとなつたのである。曰、鬼神只是一箇造化、天地尊卑乾坤定矣、鼓之以雷霆、潤之以風雨是也（遺書卷一八）。鬼神謂造化之迹、於萬物盛衰可見其消息也（易程傳豐卦）。「聚まつて淸氣となり、散じて游魂となる。聚まれば則ち萬物となり、散ずれば變と爲る。聚散を觀れば、則ち鬼神の情狀を見る。萬物の始終は聚散のみ。鬼神は造化の功なり」（經說卷一）。されば鬼神といふも一氣の聚散のみ。又魂魄の如きも懼るゝに足らぬ。問魂魄何也、曰魂只是陽、魄只是陰、魂氣歸於天、體魄歸於地是也（遺書卷一八）。陰陽の氣が卽ち魂魄なのである。

第二節　心理論

性　上述の如く、明道は萬物の本質たる天德其者を性と考へたので、此の點所謂る本然の性の思想であるが、彼は更に伊川朱子等の所謂る氣質の性なる思想をも有つてゐたことを忘れてはならぬ。遺書卷一に有名な一文がある。朱子も云へるように、其文は難解であるが、彼の性の思想は之によつてよく理解が出來る。其文の首に曰く、生之謂性、性卽氣、氣卽性、生之謂也と。生之謂性とは、人物生れ來つて始めて性なるものがあり得る。人物が氣を禀けて生れ出づるや、必らず天地の大德も附與せられる。人に附與せられる以前の此の大德は、之を性といふわけにはいかぬ。人物の氣中に墮在した時、始めて之を性と名づけられる。性は生れて後の名稱であるといふ意である。性卽氣、氣卽性といふは、兩者の相卽不離の關係をあらはす語であつて、嚴密なる意味で解すべきではない。それは恰も彼が遺書卷一に所謂る形而上爲道、形而下爲器、須如此說、器亦道、道亦器の器亦道、道亦器を嚴密に解すべきでないのと同樣である。若し之を嚴密に解して、器卽道、道卽器、兩者全く同一物と爲すならば、道器を形而上下で區別した上文と忽ち撞著する。道器の二者を形而上下として嚴に區別することは周易の主張であり、而も明道の哲學亦易に本づくこと大、彼が易を信ずることの深かつたことは言ふまでもない。故に一旦易の道器不同の說を是認しながら、而も忽ち其の下に於いて之と撞著するが如き道器同一の主張を爲すとは考へられぬ。故に器亦道、道亦器といふ中には、道器不同の意味を有するものである。若し之を道器同一の思想と爲さば、それは嚴に過ぎて反つて精を得ない。器亦道、道亦器といふは、道器の不可分を明かに示さんとする表現法である。而して氣卽性、性卽氣といふも亦之と同様の表現法である。それは性氣同一の意ではなく、性氣二者不同なるも、もと相離れては存在しないものなることを表はしたに過ぎぬのである。朱子の如きも、之を嚴密に解すれば分らなくなると述べて居るのである。それは論性不論氣不備、論氣不論性不明、二之則不是（遺書卷六）の意である。蓋し大德が吾等の氣中に墮在すれば、其の瞬間に二者は不可分の關係に立つ。本來完全の大德も、氣の正偏によつて束縛を受け、其の完全なる活動が防げられる。此氣の束縛を受けて居る大德が卽ち性である。故に氣の完不完、善不善によつて、性の活動に完不完、善不善が生ずる。性は大德が氣と結合した狀態に名づけたものである。伊川朱子の所謂る氣質の性が卽ち性の本來の意味である。氣質の性に善惡ありといつても、本來の大德に善惡が相對して存在するのではない。大德其者は至善なるも、それが惡となるのは氣稟の惡に影響されるからである。故に云ふ「人生れて氣稟、理善惡あり。然れども是れ性中元と此の兩物あつて相對して生ぜざるなり」（同上）と。理善惡ありの理は、其意極めて輕く、道理として位の意である。性中云々の性は本然の大德其者を指す。「幼よりして善なるあり、幼よりして惡なるあり。是れ氣稟然ることあるなり」。「善は固より性なり。然れども惡も亦之を性といはざるべからざるなり」。氣稟の束縛を受けた性故、之に善惡があるわけである。彼は更に語を繼いで「蓋し生ずる之れ性と謂ふ。人生れて靜なる以上は說くべからず。才かに性を說く時、便ち已に是れ性ならざるなり」といふ。人の生れぬ以前に在つては之を性といふことは出來ぬ。性といへば既にそれは人物の氣中に墮在したもの、氣質の拘束を受けたものであつて、本來の天德其者ではない。故に前の靜に於て才かに性を說けばそれは性とはいへないものである。彼は水の例を以つて更に說明を加へる。即ち、性は猶ほ水の流れて下きにつくが如くである。皆水である。流れて海に至るも終に汙さるゝこと無きものもある。これは氣稟始めから正しくて、本來の大德が終始自由に光つて居るものである。かゝる人は少しの努力をも用ひずして然るのである。又流れて未だ遠からずして固より已に漸く濁るものもある。出でゝ甚だ遠くして方に濁るものもある。此等は途中に於いて泥砂等があらはれる爲めである。濁の多いものもあれば少ないものもある。清濁は同じくないが、而し濁つた者を水と考へないわけにはいかぬ。本來が清らかな水であるから、人は澄治の功を加へねばならぬ。努力の大小によつて清むに遲速はあるが、其の清むに及んでは却つて只是れ元初の水である。性の如きも本來善なるものであるから、努力によつて本來の善に復るべきであると述べ、卒に曰く、「此理は天命なり。順つて之に循へば則ち道なり。此に循つて之を修め各〻其分を得れば則ち教なり。天命より以つて教に至るまで、我加損するなし」と。此理は天命なりの理は、氣質を雜へぬもの、所謂る本然の性である。本來完全の天地の大德である。我々內具のこの理に從つて行けば、其處に人道の實行があり、此の人道を實現する爲めの行爲を修飾規定して、各人道が宜しきを得て明かとなれば、其處に教が成立する。天命より教まで、人爲を加へるようではあるが、其の實は只我が本來完具の大德の自然の動きに從つて行きさへすればそれでよいのである。性を本來善と見るのは本然の性の思想であり、氣稟によつて善惡があると見るのは氣質の性の思想である。かく彼の性の思想には本然氣質の兩方面があつたのであるが、朱子等の如く之を明かに區別しては論じて居らぬので、彼の文は一見甚だ理解し難い觀があるのである。

萬物本然の性は素より完全である。只だ人と物と異なる所は、「人は則ち能く推し、物は則ち氣昏くして推し得ざる」(遺書卷二上)所に在る。理を推すとは、本來完全なる理を氣質の拘蔽から解放して、自由に其の光を發揮せしめることである。氣からの開放は、人に於て始めて可能であつて、物に於ては不可能である。されば修養も物に於ては無意義であつて、人に於てのみ始めて意義があるわけである。人若し修養によつて氣からの開放を得れば、其人は即ち大人、其の德は初めの完全に復る。此に至れば其德天地と合する。遺書卷一一に、「大人は天地と其德を合し、日月と其明を合す。外に在るに非ざるなり」といふ所以である。此天地生成の大德を天地の心といふ。復は即ち天地の心を見るといふ所以である。

心　人物の生るゝや、皆此の天地の心を稟けて己の心となし、天地の大德を稟けて己の性となすものである。而して天地の大德即天地の心なるが故に人物の心は即ち人物の性である。在人爲性、主於身爲心、其實一也（宋元學案卷一三）「心を盡し性を知るは知の至なり。知の至は即ち心即性、性即天、天即性、性即心」（遺書卷二）。然るに性即理（宋元學案卷一三）なるが故に、又心即理である。心是理、理是心（遺書卷一三）といふ所以である。而して萬物皆此の性を完具するものであるから、心についても亦之を完具すといはねばならぬ。「天地の間獨り人を至靈となすに非ざるなり。自家の心は便ち是れ草木鳥獸の心なり。但だ人は天地の中を受けて以つて生るゝのみ。人と物と但だ氣に偏正あるのみ。陰陽の偏を得るものは鳥獸草木夷狄となり、正氣を受くるものは人なり（遺書卷一）。氣に偏正の差はあつても心は萬物一である。然るに人の心の同じからざるは私心である。人心不同如其面、不同者皆私心也、至於公則不然（宋元學案卷一四）。其の公心に至つては人物共に同一である。この公心こそ天地の心であり、萬人の心である。この公心が人物一般の本質を爲す。天地宇宙に充滿する一大公心は、實に物の奧に輝く不滅の力であり、萬殊に遍在する生成の一大原理である。

情　此の心卽ち性から諸情が起る。心本善、發於思慮、則有善、有不善、若既發、則可謂之情、不可謂之心、譬如水、只謂之水、至如流而爲派、或行於東、或行於西、卻謂之流也（宋元學案卷一三）これ伊川朱子等が本然の性から四端の情の發動を說くと同じ思想であるが、彼は未だ本然氣質の兩性を明かに區別して居らず、且つ性卽心と見る所から、其の心の概念も張子朱子等の性情を合して心といふのとは自ら異つて居るわけである。

知　人の心は發動して情となるのみならず、實に又知の作用を有する。視聽の如き感官的知覺や、思惟の如き一層進んだ知的作用も、亦自然に吾等に具はるもので彼が「人心には知あらざるなし（遺書卷一二）。「大人は天地と其德を合し、日月と其明を合す。外に在るに非ざるなり」(同上)。といふのも心に知の作用を認めたものである。彼が修養上先づ仁を認識すべきを主張するのも、吾等にかゝる作用があつてそれが可能であるからである。

意志　彼は又「志は心の之く所なり」(外書卷二)といひ、或は「志壹なれば則ち氣を動かす」(遺書卷一)といふ。これ心に意志作用を認めるものである。

以上述べた所によつて明かなる如く、氣は萬物の形體を成し、天地の大德生の理は心即ち性となる。氣即大德ではなく、從つて氣即心でもなく、氣即性即理でもない。兩者は不可分のものであるにしても、全く同一物といふわけにはいかぬ。明道が萬物の性質を論じ、倫理道德を說くに、至つて、理と氣との區別は一層明瞭の度を加へ、遂に二元對立の感を抱かせるまでになつた。而し又理は本來氣に具はれる力であり德であるとすれば、それは氣の屬性に過ぎぬと見ることも出來て、氣一元論の趣も觀取出來るかに思はれる。

性　性については周濂溪之を論じ、程明道亦之を說くが、周子は本然の性のみを論じ、明道には本然氣質の兩性の思想はあつても未だ明瞭に兩者を區別して居ら

ぬ。此の二者を明瞭に區別して說いたのが卽ち伊川である。生之謂性與天命之謂性同乎、性字不可一概論、生之謂性、止訓所稟受也、天命之謂性、此言性之理也、今人言天性柔緩、天性剛急、俗言天成、皆生來如此、此訓所稟受也、若性之理也、則無不善、云々（遺書卷二四）。又曰く「孟子の性をいふ、當に文に隨つて看るべし。告子の生ずる之れ性と謂ふを以つて然らずと爲さざる者は、此亦性なればなり。彼は生を受くるの後に命じて之を性と謂ふのみ。故に同じからず。之を繼ぐに犬の性は猶ほ牛の性の如く、牛の性は猶ほ人の性の如きかを以つてす。然れども一と爲すを害せず。乃ち孟子の善なるものを言ふが如きは、乃ち極本窮源の性」（遺書卷三）と。故に彼は告子の生之謂性の性は、太極が事物の氣中に墮在せる現實のものを指して云ふと爲し、孟子の性は善といふ性は、氣を除去して抽象した理其者卽ち極本窮源の性を稱すと爲したのである。故に前者の性は萬物萬樣、一として同じきものはないが、後者に至つては萬物悉く同一の理であるが故に、犬牛人の性のみならず、凡そ宇宙間の萬物の性悉く是れ同一である。孟子は其の主とするところ後者に在つたに反し、告子は前者に重點を置いた。性を論じて兩人遂に相合はなかつたのは、既に出發點に於て其の概念內容を異にしてゐたことに氣付かなかつたからである。孔子が性相近也、習相遠也といふ所の性は、告子の所謂る生之謂性の性であつて、伊川は之を氣質之性と呼んで居る(遺書卷一八)。之に對し抽象された理そのものを極本窮源の性、又は性之本、性之理と稱する。本然の性の如き名稱は、朱子の如き大家が盛んに用ひた所から、程朱學者は殆んど無條件的に此の名稱を用ひるのではあるが、よく考へて見れば、此の名稱は尚十分に完全なるものではない。性の本質的意味を考へると寧ろ性之本、性之理などと云ふ方が適切であると思はれる。遮莫、遺書卷二二上に曰く、又問性如何、曰性卽理也、所謂理性是也と。極本窮源の性は太極其者であり、理其者なるが故に、至善なること言ふを俟たぬ。天所賦爲命、物所受爲性(乾卦程傳)。在天曰命、在人曰性(遺書卷二四)只だ天に在つて、物に附與すべき理を命といひ、此の命の理を稟けて物に具はるとき此の理を極本窮源の性といふ。命といひ性といふも畢竟は一である。只だ觀點を異にするが故に自ら名稱を異にする。而して其本也、眞而靜、其未發也、五性具焉(顏子所好學論)といひ、性中只有仁義禮智四者(遺書卷一八)といひ、仁義禮智信於性上要言(遺書卷一五)といふ如く性の理は實に仁義禮智信の五常を包含する理である。此の理は其常に在つては寂然として動かぬ。是れ卽ち未發の時で、不偏不倚、中なる時である。中の時に當つては、耳聞くことなく、目見ることなく、一切の感官は其活動を中止する。此の時それは眠れるのではなくて、昭々として覺めて居るのである。故に一度び外に刺戟のある時、忽ち之に應じて活動を始める。その活動は情の形をとつて發動する。されば、形既生矣、外物觸其形、而動於中矣、其中動、而七情出焉、曰喜怒哀懼愛惡欲（顏子所好何學論）とか、問喜怒出於性否、曰固是、……有性便有情、無性安得情（遺書卷一八）とか、又問性之有喜怒、猶水之有波否、曰然、湛然平靜如鏡者水之性也、及遇沙石或地勢不平、便有湍激、或風行其上、便爲波濤洶湧、此豈水之性也哉、人性中只有四端、又豈有許多不善底事、然無水安得波浪、無性安得情（同上）といふ。四端は孟子の所謂る惻隱羞惡辭讓是非である。仁動いて惻隱となり、義動いて羞惡となり、禮は辭讓、智は是非の情となる。惟だ信のみは端なくして四者に遍在する。而して、有兩物、而必相須者、如心無目、則不能視、目無心則不能見（遺書卷六）といへば、外物來つて內の性動くには、必ず耳目の如き感官を介せねばならぬのである。さて此の四端の情は道德的には善なるもののみであるから、此等の情から推しても性の善なることは知られるわけである。獨り四端のみならず、凡そ一切の情は悉く性より出づる。唯だ七情を擧げたのは、古來の用語に從つて之を以つて一切の情を代表せしめたまでゞある。凡そ此等の情はやがて人間の凡ゆる行爲を惹起する從つて人間一切の行爲は悉く性中に包藏せられて居るわけである。獨り人間に於て然るのみならず、既に述べたように、凡そ天地の間一切の事象はこれ悉く事物の有する性から起るのである。故に理なる性は、本來既に萬象を包藏すると言ひ得る。沖漠無眹、萬象森然已具、未應不是先、已應不是後、如百尺之木、自根本至枝葉皆是一貫（近思錄卷一）といふ所以である。

心情　伊川に在つては性卽心である。心也性也命也非有異也（遺書卷二五）。心卽性也、在天爲命、在人爲性、論其所主爲心（同卷一八）。自理言之謂之天、自稟受言之謂之性、自在諸人言之謂之心（同卷二二上）。性といひ心といふも其實は一である。情の如きも亦もと本質的には性と決して異なるものではない。彼は之を性之本謂之命、性之自然者謂之天、自性之有形者謂之心、自性之有動者謂之情、凡此數者皆一也、聖人因事以制名、故不同若此（同卷二五）といふ。心といひ情といつて各〻其名を異にする所以のものは性其者を各方面から觀察して、其の各樣態によつて名を制したからである。心といひ情といふ、既に其の名を異にすれば、其の指す所亦自ら異なるものがなければならぬ。「凡そ心を言ふ者は已發を指して言ふも此れ固より當らず」（文集卷五）。「既發の若きは卽ち之を情といふべし。之を心と謂ふべからず」とて情も亦之を心と呼べる先儒の言を訂し、心を情と相異なる所水と流との如しと爲し、譬如水、只謂之水、至於流而爲派、或行於東、或行於西、却謂之流（遺書巻一八）といつて居る。されば張横渠、朱子等が心は性情を統ぶと爲して、心の概念中に性情の二者を包含せしめたのとは異なるところがあるわけである。

才　彼は性と共に才を說く。遺書巻一八に云ふ、又問上智下愚不移、是性否、曰此是才、須理會性與才所以分處と。才は性と相似てはいるが同一物ではない。性出於天、才出於氣、氣淸則才淸、氣濁則才濁（遺書巻一九）。又問才出於氣否、曰、氣淸則才善、氣濁則才惡（同巻二二上）といふ。而して又曰く「又問ふ如何か是れ才。曰く材植是なり。譬へば木の如し。曲直は性なり。以つて輪轅と爲すべく以つて梁棟と爲すべく以つて榱桷と爲すべき者は才なり。今人才有りと說くとき、乃ち是れ才の美なる者を言ふ。才は乃ち人の資質、性に倣つて之を修むれば至惡と雖も勝つて善と爲すべし」（同上）。木の曲直は天から與へられたまゝの姿である。與へられたまゝの姿をその姿のまゝに眺めたとき性の名稱が用ひられる。性は素材そのものに附する名稱である。一木が或は輪轅となり、或は梁棟或は榱桷となり得るは、其の木の有する能力である。其木の能力に附した名稱が卽ち才である。而も此の方は主もして氣に基いて起るものと考へたのである。

意志　心と關聯して意思の問題がある。而も之に關しては其の思想はあまり詳明ではない。唯だ、人之所存爲志（兌卦程傳）とか、又問凡運用處是心否、曰是意也、棣問、意是心之所發否、曰有心而後有意（遺書卷二二上）とか、或は又、志道懇切、固是誠意、若迫切不中禮則反爲不誠（宋元學案卷一五）等の語が存するのみである。

第三章　實踐哲學

第一節　重要諸概念

道　明道は云ふ、形而上爲道、形而下爲器（遺書卷一）。形而上者謂之道、形而下者謂之器（同卷一二）。かく道と器とを形而上下から嚴然と區別して居る。形而上のものとは認識すべき形象のなきものであり、形而下のものとは形象の認識すべきものの意である。彼曰く「若し或る者の如く淸虛一大を以つて天道と爲さば、則ち器を以つて言ふものにして道に非ざるなり」（遺書卷一二）淸虛一大を以つて天道と爲すものは張横渠である。横渠が一氣を以つて天道と爲したのを、道と器とを混同したものであると批難したのである。更に曰く「繫辭に曰く、形而上の者之を道といひ、形而下の者之を器といふ。又曰く天の道を立つ陰と陽と、……又曰く、一陰一陽する之れ道と謂ふと。陰陽も亦形而下の者なり。而して道と曰ふものは唯だ此語上下を截し得て最も分明なり。元來只此れ是の道、要は人の默して之を知るに在るなり」（遺書卷一一）と。陰陽は氣であり形象がある。故に器であつて道ではない。道は器を離れて存在するものではないが器ではない。彼は周易に基いて道を天地人の三者について考へた。今彼の天道の思想を推すに、彼曰く、生々之謂易、是天之所以爲道也、天只是以生爲道、繼此生理者只是善也（宋元學案卷一三）と。又曰く、言天之自然者、謂之天道（遺書卷一二）と。天は万物を生成して止まぬが、生成の現象は器である。此の生成の現象が一定不變不斷に行はれるは天の自然である。この自然は又必然である。現象が必然的に行はれるところに天の道がある。此の現象に卽して天の道がある。現象がよく行はれると卽ち天道がよく流行するのである。誠は天の道といふのも此の生々の現象が一息の間斷もなく必然的に行はれる、卽ち誠であるからである。現象に條理があるといふのも、生成の現象の一定不變にして必然的なる點に於て條理を認めるのである。天道の内容は生成の必然的現象で、此の現象此の器に卽して天道がある。而して天道が嚴然として行はれる、換言すれば生成の現象が嚴然として行はれるといふことは、陰陽の二氣が善く交感することである。

然るに他方天地の大德を生理といひ、此の大德がよく萬物を生成するといふ。此の天の大德は純粹不息なるが故にその生成の現象は必然的に行はれ、從つて天道が善く流行するのである。大德なければ現象もなく天道もない。生成の現象に卽する天道は、故に天の大德を已の存在と實現との根源とするのである。（實在論、生成參看條）地道については柔と剛とを考へたのであるが、之については殆んど何等の說明をも與へて居らぬ。人道に就ては稍詳かに彼の思想を述べて居る。外書卷一二に曰く「道は君臣父子兄弟朋友の上に於て求めよ」と。又曰く、道之外無物、物之外無道、是天地之間無適而非道也、卽父子在所親、卽君臣在所嚴、一本敬以至爲夫婦、爲長幼、爲朋友、無所爲而非道、此道所以不可須臾離也（遺書卷四）と。故に人道は人類相互の關係の上に存するものである。關係そのものは道ではないが、此の關係の上に道がある。而して人類相互は種々の關係に於て生存する。故に其の人道も亦種々異なる名稱が附せられる。君臣の義、父子の親、夫婦の別、長幼の序、朋友の信等は其の主なるものである。明道は此等の人道を理ともいふ。蓋上天之載無聲無臭、其體則謂之易、其理則謂之道、其用謂之神云々（遺書卷一）といふは天道を理といふものである。遺書卷一一に「忠信は人を以つて之を言ふ。之を要するに實理なり」「唯だ理の爲すべきものは之を爲すのみ」といひ、宋元學案卷一三に所引の「父子君臣は常理不易」といふ類は卽ち人道を理と呼ぶものである。此等の人道が實現せられたといふことは、それ等が內容として有つ正當なる行爲が實現せられたといふことである。人道を知るには其の人道の正當なる內容の具體的行爲を知ればよい。而して此等の人道は明道によれば性に循ふ所に自ら實現せられること、恰も天地の大德が自然に行はれる所に天道が自ら實現せられる如くである。人道の實現は結局は己の性以外に出るのではない。遺書卷一に道在己、不是與己各爲一物、可跳身而入者也といふ所以である。人の性は人道實現の根源である。性なくして人道の實現は無い。而して道の內容を爲す所の行爲とは、彼によれば中庸の行爲である。中庸の行爲とは當に爲すべき行爲である。かゝる行爲は完全に人道の全內容を爲して理に合する。此の意味のことを彼は遺書卷三には「中庸は天理」といひ、同卷一一には「理は則ち極めて高明、之を行ふは只是れ中庸也」といつて居るのである。

仁　天地の大德を生の理といふ。人は此の生の理を稟けて生れる。この大德は人に在つては卽ち仁である（遺書卷一一）。而して大德は人の性となる故、仁は卽ち性である。然るに人の氣質に正偏があり、從つて完全なる仁の德も其の妨げを受けて、必ずしも常に自由に其の光を放たぬ。此に於てか其の妨害を去つて仁を自由な狀態に置かねばならぬ。其の方法は敬以つて內を直うし、義以つて外を方にすれぱよい。敬義は仁の體と用、靜と動とをして全からしめるものである。仁の體用動靜全ければ、それで仁の德は完備したといへる。天地の大德が生成となつて發現するやうに、人の仁德は愛の行爲となつて發現する。故に仁が完備したといふことは、その未發に當つては渾然たる天理であり、其の既發に當つては愛が完全に實現せられることを意味する。萬物は天地の氣と大德とを禀けて生れる點に於て吾と一體である。所以謂萬物一體者皆有此理、……皆完此理、人則能推、物則氣昏推不得、不可道他物不與有也（遺書卷二上）。我に具はる「日月の明」によつて、眞に此の道理を知れば、自ら萬物を愛するに至る。蓋し「眞に知れば必ず行ふ」（遺書卷二上）ものであるからである。而して眞に万物を一體と見て、悉くを完全に愛することは、我が万物と同體となることとである。完全なる愛によつて、万物と一體となるところに仁の眞面目を觀、完全純粹性を認め得る。之を「仁は天地万物を以つて一體と爲す（遺書卷二上）といひ、「仁は渾然として物と體を同じうす」（同上）とも、「若し夫れ仁に至れば、則ち天地を一身となして、天地の間品物万形を四肢百體となす」（宋元學案卷一三）とも云ふ。而して、醫書言手足痿痺爲不仁、此言最善名狀、仁者以天地萬物爲一體、莫非己也、認得爲己、何所不至、若不有諸己、自不與己相干、如手足不仁、氣已不貫、皆不屬己（遺書卷二上）といふは尤もよく仁を說明したものである。而しながら天地萬物を以つて一體となすことそれ自身が直に仁といふのではない。それは仁の完全なる實現に於て得られる狀態である。それは仁の用であつて體ではない。明道の仁を說くや、直接其の體に觸るゝこと少なく、反つて他の方面から之を說くのである。其の一は仁の用の方面からするもので、此の萬物との一體を以つて仁と爲すは卽ち是である。他の一は仁に達すべき方法卽ち仁の方の上から說くもので、敬以直內、義以方外仁也(遺書卷一二)といふが卽ちそれである。この後者の場合にも敬義を以つて內外を直方にすることとそれ自らが仁といふのではない。それは仁を養ひ得る所以の方である。而も之を仁也といふ。蓋し明道が仁を說くやこの二方面からしたことは、仁は其の體實に至大で、よく言說の及ぶ所のものではない。而し吾等は之を求め養はねばならぬ。求めるには先ず之を知らねばならぬ。さりとて仁の本體は知ること頗る困難であり、懸空に想像して求め得べきものでもない。此に於てか彼は或は之に到達すべき方法の上より仁を說き、或はその發現の迹より仁を說いたのであらう

人道と行爲　尹和靖嘗て問ふ、如何是道と。伊川對へて曰く、行處是(外書卷一二)と。又曰く、中行中道也(易夬卦程傳)と。此等は一見行爲と人道とを同一視した如くに見えるが、而し彼に在つては二者は決して同一物ではない。伊川は道をば理と解し、法則と解する。行爲は道の形而上なるに反して形而下のものである。易艮卦程傳に動靜合理義といひ、言動之間皆有法則(經說卷六)といふを見ても、彼が二者を混同して居らぬことと明らかである。行爲卽道の如き表現法を用ひたるは二者の不離相卽を明かにせんとしたまでと思はれる。行爲に卽して人道が存することを示したのであらう。而し如何なる行爲にでも人道が存するといふのではない。道と合する行爲は當爲の行爲でなければならぬ。遺書卷二五に之を、凡盡其所當爲者、如可以仕則仕、入則孝之類是也、此孔子之道也、と述べて居る。孔子の道は卽ち人の道である。當爲の行爲こそ人道の完全なる內容である。中庸には天下之達道五ありとして、君臣父子夫婦昆弟朋友之交を擧げ、書經には五典をあげ、孟子には父子有親、君臣有義、夫婦有別、長幼有序、朋友有信をあげて居る。何れも皆同じものである。天下の達道とは、伊川によれば天下古今之所共由、謂之達道、所謂達道者天下古今之所共行(經說卷八)と解する。親義別序信なる道は時を絕して永遠に生命あるものである。獨り此の五者のみならず、凡そ人道なるものは皆不滅の存在である。人道地に墮つ、人道滅すなどといふは、人道の不明を嘆く聲であつて、その不滅を否定するものではない。彼曰く、道何嘗息、只是人不由之、道非亡也、幽厲不由也（遺書卷一七）と。又曰く、知道者多、卽道明、知者小、卽道不明也（同上）と。永遠不滅の人道も、人が之を知らず之を實行せざるときは乃ち不明である。人道明かならざる時、之を稱して地に墮つとも滅すともいふ。而して人道明らかならざるとき、之を明らかにするものは敎である。敎盛んならば道を知り且つ行ふ者も多く、人道自ら明かとなる。道は一時曇ることもあるが、その存在は永遠に不變である。道の恒常不變なるに反しその內容たる行爲は不變ではない。時空によつて變化增減あるを免れぬものである。一時代に道に合した行爲でも、次の時代には既に不合理な行爲として社會から退けられるものの絕無ではないこと歷史の示すところである。又場所の異なるに從つて自ら變化を加へねばならぬ行爲も各國の道德的行爲が多少づつでも異なるを見れば理解出來る。一時代一場所に合理的な行爲を、既にそれが合理性を失つたような他の時代又は他の場所に於いて其儘通用せしめんとするは、反つて社會の安寧を害し秩序を亂すことがある。行爲をして道に合するものたらししめんには、時と處とに應じて多少の變化を施さねばならぬこともある。時空によつて變化せしめ、其時其場に合理的ならしめるとき、其行爲を呼んで時中の行爲といふ。

時中　上述の時中については彼が季明の問に對へた語が最もよく之を說明して居る。卽ち遺書卷一八に、中字最難識、須是默識心通、且試言、一廳則中央爲中、一家則廳中非中、而堂爲中、言一國則堂非中、而國之中爲中、推此類可見矣且如初寒時、則薄裘爲中、如在盛寒而用初寒之裘、則非中也、更如三過其門不入、在禹稷之世爲中、若居陋巷、則不中矣、居陋巷在顏子之時爲中、若三過其門不入、則非中也、或曰、男女不授受之類皆然、曰是也、男女不授受中也、在喪祭、則不如此矣といふのが是である。彼は中之爲義自過不及而立名といひ不偏之謂中（文集卷五）といふ。其の時其場に於ける不偏不倚過不及なきところに中がある。中は固定點ではなくて自由に伸縮するものである。

道と中　伊川は道についても中を說いて道卽中也（文集卷五）といふ。これは道と中とを一者とするものではない。道無不中、故以中形道（同上）といふように、道の狀態を形容して中といふのである。然らば道が中の狀態にありとは如何なる意味か。

遺書卷一五に、天地之化雖廓然無窮、然而陰陽之度日月寒暑晝夜之變莫不有常、此道之所以爲中庸といふより推せば、道の内容たる事象が中の狀態にあるところから、之を推して道にも中といふのである。人の行爲が中なる故に、之に卽する人道をも亦中といふのである。時中の行爲は不滅の人道の、その場合に於ける内容として毫釐の加損をも許されないものである。時々に當つて其時々の中の行爲を實現することが、とりもなほさず不易の道の實現となる。時により處によつて種々變化ある特殊個々の時中の行爲を一貫して人道は存在する。時と場合の合理性を顧慮せずして、常に定型の行爲を固執するは人道を行ふ所以でない。而して人道を實現せんために時中の行爲を行ふには、先づその行爲を一々誤りなく認識することが極めて必要である。此の認識なくしては時中の行爲は實現不能である。彼が修養上知を重んじて、君子以識爲本、行次之（遺書卷二五）とさへ主張して、究理の必要を力說した所以である。

此に注意すべきは、中と相似た正の概念である。正不必中也（易程傳震卦）といふ。正と中とは必ずしも同一ではなく、又必しも常に一致するものでもない。正と呼ばるゝ行爲の中には、勿論中なるものも含まれる。正なる行爲を離れて別に中なる行爲が存在するものではない。正は中を包める概念である。一つの場合に於て正と呼ばるゝ行爲は、一つ若しくは二つ以上が存し得るけれども、その中で最も完全に妥當する純粹に正しい行爲は唯一つしか存しない。此の唯だ一つの正しい行爲に中がある。中則正矣（易恒卦損卦程傳）であるが道德的には正よりも中が重要な概念である。かく考え來る時、伊川が中重於正（上同）といひ、天下之理莫善於中（震卦程傳）といつたのも所以あることと理解出來るのである。

性と道　伊川は中庸の率性之謂道を解して、循是而之焉、莫非道也（經說卷八）といひ、又文集卷五には、循性曰道といふ。これ吾内面の性に從つて行動すれば、其處に人道が存するといふのである。更に言へば人性の自然に動くところ、其處に時中の行爲があり、その行爲が人道を實現するものなることを言ふのである。人道の實現は人性の自然的發現によつて可能である。此の發現なくしては、人道の偶然的實現は在り得ても、道德的に自由なる實現はあり得ない。儒敎に於ては、人道はもともと外に在るものとは考へない。孟子義內の說は是である。伊川とても同じ考である。我性の自然的發現が人道に合するといふも、この人道は我性內固有のものの外に表はれたものと見るのである。中の行爲は性の自然の發であるが、それと共に之に内在する人道も亦性が其根源である。ひとり自然界の道が自然的事物の性に存在の源を有するのみならず、人間界の道も亦人間の性がその根源である。かゝる性道二者の密なる關係から遺書卷二五には道與性一也とか、道孰爲大、性爲大、とさへ極言する。而し性は自ら性であり、道は自ら道である。二者は其の概念異なる所あらざるを得ぬ。故に彼は又、文集卷五に於て若謂性與道、大本與達道、可混而爲一、卽未安、在天曰命、在人曰性、循性曰道、性也命也道也各有所當、といつて居るのである。而して性は萬物一なるが故に、天道も地道も人道も凡そ道なるものは悉く一性の發現にすぎぬ。故に幾多の道も本質的に異なるものではない。道一也、豈人道自是一道、天道自是一道(遺書卷一八)。論其體、則天尊地卑、如論其道、豈有異哉(同上)である。要之、伊川に在つては自然の道と人間の道とは共に人物の性の外的發現に外あらぬ。而して人物の性は一氣に内在する理卽ち太極に外ならぬが故に、天地の萬理萬道は終に一太極に歸屬するのである。

仁　仁と愛とは最も關係の深い概念である。古來兩者一と見る思想さへ生じたこともある。宋代に入つて性理學者は理を根源的のものと考へ、從つて心理作用の根源をも理に求めようとした結果、精神現象と其の本體とを區別するに至り、仁と愛との關係をも亦かゝる觀方から論ずるに至つた。伊川も其一人である。彼が此の二者の關係を最もよく表明した所の次の如き言葉を發見する。

孟子曰、惻隱之心仁也、後人遂以愛爲仁、惻隱固是愛也、愛自是情、仁自是性、豈可專以愛爲仁、孟子言惻隱爲仁、蓋爲前已言惻隱之心仁之端、既曰仁之端則不可便謂之仁、退之言博愛之謂仁非也、仁者固博愛、然便以博愛爲仁則不可（遺書卷一八）。

仁は性であつて情ではなく、愛は情であつて性ではない。仁なる性が愛の情となつて發現する。同樣に義禮智皆性であつて、夫々情が發現する。此の點に於て仁は他の三者と相對立して考へられ得る性である。而し此の對立的の仁なる性が、同時に他の三者をも包含して居るのである。他の三者を包含してゐながら、而も他の三者と同樣に自らも亦自己獨特の發現をする。其處に仁なる性の特色がある。かく同一の仁も特殊と全體との二つの立場から見ることが出來る。特殊の立場から見た時、之を偏言の仁といひ、全體の立場から見たとき之を專言の仁といふ。四德之元猶五常之仁、偏言則一事、專言則包四者（易乾卦程傳）。この仁を偏言專言の兩面から論ずることは朱子に至つて甚だ詳かとなつたが、伊川に於て既にこの區別を認めるのである。卽ち性中には仁義禮智信の五常の性がある。此の五常は渾然たる一性を爲す。五性の外に別に此等を包含する性があるわけではない。五性を外にしては性は無い。而も此の五性は仁の性によつて統一せられて居る。故に渾然たる一性は仁の性である。而して彼は性を理と呼ぶが故に、仁の性は仁の理と呼び得る。義禮智信の性も亦之を理といひ得るわけである。伊川に在つては、五常については之を性といふも、之を理といふことは殆んどないが、朱子に至つては性中の仁の理、五常の理などと盛んに唱道したのである。

仁道　道書卷二二上に仁卽道也といふ。仁を道といふは如何なる意味であるか。外書卷一二に、問仁曰、仁者愛人、便是仁乎、伊川曰、愛人仁之事といふ。仁の事とは仁性の發動たる愛を正しく實現した行動のことである。この行動に卽して存する道を仁道と呼ぶのである。獨り仁の性に於けるのみならず、義禮智についても各々の道が考へられる。羞惡の情に基づく行爲に義の道があり、辭讓の行爲に禮の道があり、是非の情に基く行爲に智の道がある。而し儒敎に於いては、人の道卽ち、仁道とまで考へられるほどに仁道を重要視して來た。仁は專言すれば義禮智を包含するものなるが故に、此の斷からすれば、凡そ性から發動する一切の情を正しく實現する行爲に、從つて吾等の一切の行爲に存する人道は、悉くこれを仁の道といひ得るわけである。此に於てか仁道は狹義に於いては愛を實現するところの特殊の人道を意味し、廣義に於ては凡そ一切の人道を意味するのである。

德　伊川の德の概念は、まだ朱子ほど明瞭ではない。伊川は云ふ、得之於心、謂之有德、自然睟然見於面、盎於背、施於四體、四體不言而喩、豈待勉强也（遺書卷一五）。存諸中爲德、發於外爲行（易節卦程傳）。故に德は心に得て內に具はるもので內面的のものである。且つ彼は德目を擧げて謙者人之至德（謙卦程傳）とか、中庸之德（同上）とか、孝弟順德也、故不犯上（經說卷六）とか、中庸天下之正理、……鮮有中庸之德也（同上）などと稱して居る。此の用法による德の字が、朱子のいふ性中の理を意味しないことは、孝弟を德といつて居る一例にて明らかである。何となれば、伊川に在つては朱子と同じく孝弟は性ではない。謙や孝弟や中庸は皆人道であるからである。此等の人道を自然に實行し得るに至れば、吾は其能力を養ひ得たるわけである。此の時我內に其德が具備したといふ。獨り我等のみならず、凡そ一切の人道に就いても、之に應ずる夫々の德が、考へられる。伊川が謙や中正や孝弟を德と稱するのは、人道を德といふのではなくて、內に養ひ得た此等の人道を實行し得る能力を指したのである。然るに一切の人道は、性の自由なる活動に基けば自ら實現せらるゝものなることは既に述へた所である。故に性の自由なる活動を得れば、それで一切の人道に對應する一切の徳が内に具はつたことになる。かく考へ來る時、自由なる性と徳とを同一視する朱子の如き考方は自ら起つて來るのであるが、伊川は思想的にまだ其處までは進んで居らぬのである。

聖人　聖人とは何か。伊川は云ふ、大抵盡仁道者卽是聖人、非聖人、則不能盡得仁道（遺書卷一八）と。仁道に廣狹の二義あること前述の如し。今、仁道を盡すといへば、愛の情を完全に實現するも仁道を盡すのであり、一切の人道を實現するも亦仁道を盡くすのである。而して聖人人倫之至、倫理也、既通人理之極、更不可以有加（遺書卷一八）。されば聖人の盡す所の道は、ひとり狹義の人道のみに止まらず、凡そ一切の人道であるといはねばならぬ。人がよく一つの人道を實現し得るは、其の一徳が内に具つて居るからである。一切の人道を實現し得る聖人は、一切の徳が内面に具つて居るからである。而して一切の徳が内に具はるといふことは、伊川に在つては極本窮源の性が氣の拘束なく昭々として自由に活動する狀態に在るに至つて始めて可能である。氣の拘束を免れ得ない間は努力を必要とするが、既に氣の拘束を脱して百徳内に具はれる後は、些の努力も要しない。勉めずして中り、思はずして得る。勉めず思はずして自ら常に入道を實現し得るは、道と己とが一になつたのである。道に化したのである。道に化した者は、己便是尺度、尺度便是己（遺書卷一五）である。心の欲する所に從つて矩を踰えない故、己以外の他の尺度を持ち來つて己を度り正す要がない。然るに己以外の尺度を持ち來つて己を正して始めて矩を踰えず道に合する間は、思勉の努力が必要である。努力の圈內に彷徨して居る間は、未だ聖人ではない。この圈外に出ると同時に其人は聖人と呼ばれ得る資格を生ずる。努力の天地は冬夏辛苦の世界であるが、努力なき天地は春日和樂の世界である。此の二つの世界を劃するものは唯だ一線である。相距る一線であるが、この一線こそは容易に越え難い。唯だ努力のみが克く之を越え得る。努力を拂ふ勞を厭ふならば、其人には此の一線は永遠に越え難い溝壑の深さを有つ。一線の彼方に展開する和樂自適の世界をば、只だ幻と羨んで跼蹐辛苦の世界に止まるのも、將た又よく一線を越えて辛苦の世界を過去の思ひ出として春日和樂の天地に悠々自適するのも、一に懸つて自らの努力に在る。一線の彼方聖の天地に一歩を踏み入れば、それで修養の目的は達せられたのである。其處では凡ての人は皆同じである。生れ乍らにして已に此の天地に入れる聖人もあるが、生れて後よく一線を越えて此の天地に到るものが少なくない。前者も後者も共に聖人として人類の最高峰に立つ。大抵生而知之與學而知之、及其成功一也(遺書卷一八)。若到聖人、更無差等也(同上)である。

かくして修養の完成した聖人、獨善を以つて足れりとする者ではない。必ず又他人をして完全なる者たらしめんと欲するものである。伊川は云ふ、論語に二處あり。堯舜其れ猶ほ之を病む。博施濟衆は豈に聖人の欲する所に非ざらんや。然れども五十乃ち帛を衣七十乃ち肉を食ふ。聖人の心、少者も亦帛を衣、肉を食ふを欲せざるに非ず。然れども養ふ所贍らざる所あり。此れ其の施の博からざるを病むなり。聖人の治むる所は九州四海に過ぎず。然れども九州四海の外聖人も亦兼ね濟ふを欲せざるに非ず。然れども治むる所及ばざる所あり。此れ衆を濟ふ能はざるを病むなり。苟も以つて吾治已に足れりと爲さば、便ち是れ聖人ならず」(遺書卷一五)。人をして完全ならしめんとの心の起らざるは、まだ修養が足らぬのである。修養が完全に近つくほど、性の自然の發動として他人をも完全ならしめんとの愛が盛んに起つて來るものである。此の心は言ふまでもなく仁の性に基づく。この博愛の心の十分に起らぬ間は、性はまだ完全に自由ではない。從つてまだ聖人ではない。聖人に達すれば始めて性の此の自然的發動が完全となる。尤も此の博愛の心の實現に至つては、環境に支配せらるゝが故に、常に可能であるとは言へぬ。聖人も尙博施濟衆の及ばざる所あるを病むこと上に引く所の言の如くである。若しこの實現に適した地位を得なければ、如何に聖人と雖も大いに爲すことは出來ぬ。治者としてこの位高ければ高き程、治人の事は完全に行ひ得る。聖人天子の位を以て始めて治人の事完全に近きを得るわけである。されば伊川曰く、有大人之德、而得至尊之正位、故能休天下之否、……无其位、則雖有其道、將何爲乎、故聖人之位謂之大寶(否卦程傳)かく聖人は人の性を盡さしめるが、獨り人のみならず進んでは物の性をも盡さしめんと欲するものである。天下の人物を完全ならしめて始めて聖人の心は滿足するのである。而して此の心が自己の分內に於いて完全に實現するとき始めて己の性は完全なる實現を遂げたことになる。かくて其人の修養は全い。故に自己人格の完成は獨善のみにては足らぬ。進んで治人成物にまで行かねばならぬ。儒敎に於ては修己と治人又は成己と成物と二者を對立はさせるけれども、成己は自ら成物をも包含し各人の分內に於ける成物の事全からずんば成己も未だ全しとはいへぬのである。

禮　易の節卦の程傳に云ふ、天地有節、故能成四時、无節則失序也、聖人立制度、以爲節、故能不傷財害民、人欲之无窮也、苟非節以制度、則侈肆至於傷財害民矣と。常人は尺度の力によつて自己を正すが、民の尺度は素と自然に存在する者ではない。それは聖人の好意から生れたものである。その尺度が所謂る禮である。禮は小は日常行住坐臥の些細なる禮儀作法より、大は上述の如き國家社會の制度までも含むものである。就中、吾等日常の道德的生活に於て最も緊要なる尺度は儀禮卽ち狹義の禮である。之に就いて伊川は云ふ、履禮也、禮人之所履也（易履卦程傳）。履人所履之道也（同上）と。又曰く、視聽言動非理不爲、卽是禮、禮卽是理也（遺書卷一五）と。禮は、故に人の履む所の道であり理である。禮は道とか理とか言へば、內容から引き離した抽象形式的のものと爲すかの如き感を起さしめるが、而し若し左樣なものが禮であるならば、それは吾等の尺度とはなりようがない。禮が尺度となり得る限りは、それは單なる形式的の理のみをいふのではない。內容と離れぬ理である。所謂る禮は理と事象とを併せたものでなければならぬ。されば遺書卷一五に禮時爲大、須當損益とか、禮孰爲大、時爲大、亦須隨時ともいひ得るのである。理そのものは萬世不易のものであつて、之を損益することなどは出來ぬ。今禮に損益をいふ以上は、損益され得るものが禮の中に含まれてゐなければならぬ。而して損益し得るものといへば、その内容たる事象である。禮の字は理と共に必ず事象をも包含してゐるものであることを知らねばならぬ。禮之器出於民之俗、聖人因而節文之耳（遺書巻二五）といつて、節文損益するものは禮中の器なることを明言せるを見れば、禮の概念が理のみならず器の事象をも併せ含むものなることいよ／＼明かである。

彼は更に云ふ、禮亦出於人情而已（遺書巻一七）。禮之本出於民之情、聖人因而道之耳（同巻二五）と。又曰く、則以義制之（同巻六）と。故に聖人禮を制するや、人情を正しく實現せしめるよう舊來の風習を損益節文し、以つて理に合するように純化したのである。されば之を尺度として己を正して行くならば、己の邪情は正されて行爲も正しきを得る。かくて道の實現も可能となる。道の實現から内面の徳が養はれ、人格の完成が得られる。故に伊川は云ふ、學莫大於致知、養心莫大於禮義（遺書巻一七）。君子處己有道、以禮制心（易程傳豫卦）。禮者人之模範、守禮所以立其身也、安之而和樂徳之成也（經說巻六）といふ。而して此の禮の效は獨り一身に止まらぬ。一家一國天下も亦禮なくしては治まらぬ。彼は之を、禮者爲國之本、能以禮讓、復何加焉、不能以禮、將如禮何、無禮讓、則不可以爲國也（經說巻六）。「人は天地の間に位し、萬物の上に立つ。天地は吾等と同體、萬物は各々と同氣、尊卑分類設けずして彰かなり。聖人此に循つて冠婚喪祭朝聘燕饗の禮を制爲し、以つて君臣父子兄弟夫婦朋友の義を行ふ。……衆人は之を勉め、賢人は之を行ひ、聖人は之に由る。故に行ふ所は、其身と其家と、其國と其天下と、禮治まれば即ち治まり、禮亂るれば即ち亂る。禮存すれば即ち存し、禮亡べば即ち亡ぶ」（文集禮序）といふのである。

さて上述の如く、禮は損益し得るものであり、且つ損益すべきものである。「禮は行うて全く古に泥むべきではない。須らく時の風氣の自ら同じからざるを觀るべきである。風氣既に同じからざるが故に、處る所古と異ならざるを得ぬ。恰も今人の面貌が自ら古人と同じからざるが如きである。若し全く古物を用ふれば相稱はぬ。禮はたとひ聖人の作でも、須らく損益すべきである」（遺書卷二上）而しながら「今の時に居つて今の法令に安んせざるは義ではない。須らく今の法度の範圍内に於いて處して其當を得て方に義に合すと爲す。若し更改を須つて而る後爲すならば義ではない」（同上）。蓋しひとり法令のみならず禮に於ても亦同樣に、私議以つて妄りに之を損益すべきではない。いよ／＼通せざるところあるに至つて始めて損益は行はれねばならぬのである。

第二節　修養論

第一　學の目的

明道は資性高邁、生れながらにして如何にも圓滿な人格を備へてゐた。從つて其の學説は綿密高遠に走ることなく、甚だ直截簡易で直覺的の趣が濃厚であつた。彼の修養論の如きも亦理論を避けて出來るだけ自得することを重んじた。故に彼の敎は資性高明なるものにとつては宜しきも、凡庸なる者に對しては反つて親切精細を缺くかの如き憾がある。此の點伊川朱子等と異なる所で、或は彼の短所といへば言はれんも、又一面これこそ彼の眞面目で、明道の明道たる所以である。

外書卷一に曰ふ、學在知其所有、又養其所有と。人が己の有する所を知つて之を養ふは、實に學の目的である。學の目的卽ち修養の目的である。其の所謂る有する所とは何を意味するか。有する所とは吾等が固有する所の者を指す。明道によれば人類の肉體は固有である。而し此の氣は正偏の差があつて、必ずしも本來善なるもののみではない。惡の原因を爲すものも實に此の氣である。氣の如きは人の人たる所以の本質ではない。かゝる氣を知り之を養ふことが修養の理想といふのではない。養ふといふは存すとの意である。後に述べる所によつて明かであるように、正偏雜多のかゝる氣を知つて其儘之を存せしめることが、修養の目的となり得ぬことは言ふまでもない。吾等の知り且つ存養すべき所のものは、人の人たる所以の本質でなくてはならぬ。吾等の「本質」(遺書卷一)は氣と同時に禀受して生れる所の天地の大德である。生々の理なる本然の性である。それはひとり人のみならず萬物の本質を爲す。之を認識し、之を存養することこそ修養の終局目的である。明道が其の有する所といふは正に之を指す。而るに此の大德は又仁とも呼ぶが故に亦仁を知り且つ之を養ふ所に學の目的があるといへるわけである。彼の有名な識仁篇の冒頭第一に、學者須先識仁、仁者渾然與物同體、義禮知信皆仁也、識得此理、以誠敬存之而已(遺書卷二上)といふは前引の外書の語と共に學の目的を道破したもので、兩者全く同一の思想である。而して「大人は天地と其の德を合し、日月と其明を合す」(遺書卷一)。求仁の目的を實現せる者は大人である。大人は即ち聖人で、聖人は至極である(外書卷二)」されば「人の學は當に大人を以て標準と爲すべき」(遺書卷一)で聖人は實に學の具體的理想である。

伊川は云ふ、而君子之學必至於聖人而後已（遺書卷二五）と。儒教の學は修養を意味し、その修局目的は人格完成に在る。之を人に求むれば聖人である。この點明道と變らぬ。而るに聖人とは內面的自由を得た者、性の活動が常に何物にも妨げられず、本來の光に輝き渡る者である。性の初の姿に復つたものである。既亡之後、而復於喜怒哀樂未發之前、則學之至也（同上）といへば、性本來の初めに復つて、我に具はる天理をば曇らすことなくよく之を保存して行くところに學の目的が存するのである。實に學は人只要存一箇天理（遺書卷一八）の範圍を出でないのである。故に苟も此の目的を達し得ないもの、又は此の目的遂行に妨害を爲すが如きものは、眞の學とはいへぬ。文章訓詁の學の如きは動もすれば、此の目的を害するもので、之に耽溺すれば遂には人格修養も不可能に終ることを嘆じて、今之學者有三弊、一溺於文章、二牽於訓詁、三惑於異端、苟無此三者、則將何歸、必趨於道矣（同上）といひ、更に又、古之學者一、今之學者三、異端不與焉、一曰文章之學、二曰訓詁之學、三曰儒者之學、欲趨道舍儒者之學不可（同上）といふ。眞に修養の目的を達する學は文章訓詁の學ではない。況んや異端の學でもない。此等は今の學である。古の學は儒者の學で、これこそ眞の學である。只此の學のみが人をして道に趨かしめるのである。

第二　學の方法

生來完具の吾等の大德も、氣に宿つては自ら其の拘を受けざるを得ない。より惡しき氣に墮在すれば、より大なる束縛を受ける。此に於てか或者は既に生れ乍らにして此の大德が曇つて居り、其の發して情となるや又過不及あるを免れぬ。情の過不及あるものは是れ即ち人欲であつて惡である。之を其儘放任すれば益不正に流れて了ふ。加之、吾等には氣に本づく肉體的欲望がある。此の欲望は殊に其の勢力を不正に逞うし易いものである。此の欲望が不正に跋扈すれば、それだけ大德の活動が妨げられる。不正な欲望をも亦人欲といふ。吾等は氣稟の拘と人欲の蔽とを免れ難い。乃ち云ふ、人心莫不有知、惟蔽於人欲、則忘天德也（遺書巻一二）。故に修養に於いて手を下すべき所は、實に氣質の變化と人欲の是正とに在るといはねばならぬ。若し之を行はば雲霧を拂除した日月の如く、天德本來の光は復び赫々と輝き渡るのである。然らば如何なる方法によつて吾等は氣質を變化し人欲を正し、以つて仁を存養し得て聖域に達し得るものなりや。曰く、敬以直內、義以方外仁也（近思錄存養）。易之乾卦言聖人之學、坤卦言賢人之學、惟言敬以直內、義以方外、敬

義立、而德不孤、至於聖人亦止如是、更無別途（遺書卷二上）と。

一、敬以直内　然らば敬とは何ぞ。操約者敬而巳矣（同卷一二）。我内面に起れる過不及の人欲をば省察して、常に之を引締めて制禦し、以つて正しきを得しめることが卽ち敬以つて内を直くすることである。敬ならばあらゆる人欲を制御し得る。敬勝百邪（同上）といふ所以である。敬によつて常に人欲を操約是正して行けば、從つて吾本質の活動を常に人欲から開放して居ると、次第に熟し來つて終には人欲消失して本性の活動は力を用ひざるに自ら正しきを得るに至る。此の境地に在つては、仁の大德は未だ動かざる時と雖も、亦既に昭々として存し得る。我天德はかくて動靜共に常に正しく自由なる狀態に在り得る。此の狀態まで達すれば、それはも早や聖域である。此の狀態を獲得すれば、內には人欲なくて正しい情のみが行爲を制約する。故に其の行爲は自らにして禮に合し人道に合する。克己則私心去、自然能復禮（遺書卷二上）といふ所以である。自然に行爲すれば、それが悉く善である。行爲を是正して禮に合せしめやうと努力する必要がない。卽ち義以つて外を方にする工夫も其必要がないわけである。然るに未だ此の域に達せぬ者に在つては、敬の工夫と同時に義方の工夫も亦大切である。

二、義以方外　これは吾の一切の外的動作を義に合せしめることである。これによつて内面の弛緩を防ぎ放縱を止めることが出來る。故に曰く、言不莊不敬、則鄙詐之心生矣、貌不莊不敬、則怠慢之心生矣（遺書卷一）と。かゝる人欲が起らぬことは、他面天德が自由に活動することを意味する。内面の自由を得ん爲めに、敬の外、義以つて外を方にする工夫が必要なのである。而して外を方にするは是れ内を直くする爲めなるを常に忘れてはならぬ。「言辭を修省するが如き、若し只言辭を修飾するのみを以つて心と爲さば、只だ是れ僞を爲すのである。言辭を修むるは正に己の誠を立てんが爲めである」（遺書卷一）。義方の工夫はこれ性の自由を得るを目的とするものなるを忘れてはならぬ。敬直義方は内外道を異にすれど、其の終局の目的が人欲を制して天德の仁を動靜共に自由にすること、卽ち性の初めに復つて仁を存養することに在るは同じい。專ら敬直の内的工夫によつても其目的は達せられるのではあるが、更に義方の外的工夫をも併せ行ふことによつて、一層速かに其の目的は達せられるものである。彼は之を敬義夾持直上、達天德自此（遺書卷五）といつて居るのである。仁を養ふには仁其者について之を窮索したり、防檢したりする必要はない。唯だ敬義を以つて人欲を正して其拘蔽を去ればよい。之によつて一旦仁が發はれ、本來の大德が昭々たる光を顯はして來ると、不動に際しては渾然たる全體は靜かに定まつて、如何なる刺戟にも自由に應じ得るような正しい中の狀態を保つて居る。若し一旦外物が現れ來つて感官を刺戟するや、内の天德は直に之に應じて適當に發現して正しき情となる。彼の定性書に謂ふ所によれば、かく大德が其の動と靜とを通じて常に正しくあることを性が定まつたといふ。性を定めるといふことは單に性を動かさぬといふのではない。換言すれば一切の周圍と絕緣して少しも外物の刺戟を受けぬ樣な狀態に性を置いて動かさぬといふ意味ではない。外物と絕緣することは、自己を外物から引離して自己のみを固守することである。之は自らを私するのである。内外を分つて二つとするのである。外誘來つて我性が自然に之に應じて動くのも亦定である。此の時性は外誘を迎へたのではない。外誘が現れ來た故に之に應じて動いたまでゞある。外誘去れば我性は再び靜に復つて決して之を追はない。かく物來つて直に之に順應し、物去つて復たもとの靜かに反る心境こそは學の目指す所である。凡ての外物を拒まず、來れば直に之に順應することは、是れ卽ち外物と絕緣せず、内外を二本とせぬことである。自ら私せず、内外を合することである。彼が屢ゝ高調した所の萬物と一體となることである。内外を合して万物と一體となり得るは、我を無くするが故である。無我は廓然として大公なる心境で、仁の大德が完全に養はれた狀態である。是れ聖人の境地であるが故に「無我に至れば則ち聖人なり」(遺書卷一二)といふ。而してかく内外を合して一體となり得るは、實に上述の敬義の工夫の結果である。彼は之を敬以直内、義以方外、合内外之道也(遺書卷一二)と述べて居る。而して我内面が本然の初に復つて、寸分の拘蔽なく間斷なく、專ら純粹自由なる狀態は之を呼んで誠といふ。されば誠は敬でも義でもない。敬義によつて邪を防げば自ら獲得實現せられる狀態である。是れ「敬ならば則ち誠」(同上)といひ、或は閑邪則誠自存、……如何是閑邪、非禮而勿視聽言動、邪斯閑矣(遺書卷二上)といふ所以である。内誠ならば大德發してよく万物に順應することと言ふまでもない。是れ彼が誠者合内外之道(同卷一)といふ所以である。

三、自私用智　明道は敬義の外、更に性を定むる修養法として自私と用智の二者を去るべきを説く(定性書)。蓋し自ら私すれば、我は外物に接しても之に應ずることが出來ぬ。徒らに自己の小智を用ふれば、我が本來の大智は之に妨げられて、其作用は自然であることが出來ずして不正に陷り、當に喜怒すべからずして喜怒することにもなる。人は万物同理なることを忘れ、相對差別の己の軀殼を基準として凡てを考へ易い（遺書巻二上）。そのために外物を非として自ら私することが起り、己を是として小智を用ふることも起る。故に此の二者を去る爲めには寧ろ内外二つながら忘れるのがよい。兩つながら忘れると澄然として無事であり、無事であれば定まる。定まれば明である。敬義によつて仁を養ひ得れば、自ら私することも智を用ひることも自然に起らないのであるが、未だ修養途上の者に於ては、敬義の傍ら此の二者にも注意すれば、一層其の效果を早からしめるといふのであらう。

以上の如く、明道は修養の方法として敬義を擧げて人欲を正すことを特に力説したが、彼の説に在つては稟氣の正偏淸濁も亦大德を妨げることゝ人欲に劣らぬものがある。故に稟氣の質を正偏に致すべき工夫も亦大いに用ひらるべきものであらねばならぬ。然るに氣質其者の變化の方法については殆ど、述べて居らぬ。此の點は伊川朱子亦同樣で、程朱學の不備であると思ふのである。

學によつて性の初に復り、一個の天理を存する爲めには、之を妨げ曇らすものについて修養の工夫を凝らせばよい。而してかゝる障碍を與へるものは、氣有善不

善性則無不善也、人之所以不知善者、氣昏而塞之耳、孟子所以養氣者、養之至斯清明純全、而昏塞之患去矣(遺書卷一下)といふように、肉體の氣の濁である。氣の質の濁惡が改善されて、昏塞の患去るにつれ、之と正比例して性の活動は自由に向ふ。氣質の全き改善は、とりもなほさず性の全き自由を意味する。學の目的は此に達せられ、學の功は此に極まる。「學は氣質の變ずるに至つて方に是れ功有り(同卷一八)といふ所以である。而して氣質の變化は氣其者について之を知ること不可能なる故、人語言緊急、莫是氣不定否、曰、此亦當習、習到言語自然緩時、便是氣質變也(同上)とて行爲の上から推して之を判斷するより外に道がない。一つの善が學によつて次第に容易に實行せられ得るに至ることに於いて、氣質の變化を認めるのである。此の時氣の狀態は少くとも其の行爲に關する限り改善されて、性がそれだけ自由となつたのである。若し學の結果凡ての道德的行爲を自然によく實行し得るに至れば、其時こそ氣の質は悉く改善せられて、性が自由に輝き渡る聖人となつたのである。而して氣質の清濁は彼の生成論に在つては先天的のものであるが、其の後天的變化は可能である。尤もそれは人に於てのみ可能である。

此の可能性の存否が實は人と物との差異の最も根本的なるものである。然らば氣質變化の方法は如何。言ふまでもなく氣質其者について工夫することが最も效果的である。然るに伊川も亦此の種の工夫については一言も述べて居らぬのである。次に述ぶる節欲制行の內外二方面の工夫は卽ち氣質變化の間接的工夫である。

一、節欲　顏子所好何學論に云ふ、形既生矣、外物觸其形、而動于中矣、其中動、而七情出焉、曰喜怒哀懼愛惡欲、情既熾、而益蕩、其性鑿矣と。情は一として本質から發しないものはないが、而し性のみから起るものではなくて、氣と結合して始てめ起るものである。怒哀惡欲なども一見不善の情の如くに考へられて居るけれども、それ自身としては自然なるものであつて善惡のあるものではない。喜愛の如きも亦同樣である。此の情が過不及なきとき之を評價して善と稱し、過不及あるとき之を評價して惡とよぶ。性の活動正しきを得るとき、情に不正のあることはない。情に過不及ありといふは、それだけ性の活動に過不及あることを意味する。情が其の度を越ゆること益々盛んなるか、又は度に及ばざること愈々甚だしければ、性の活動はいよいよ中より遠ざかる。かゝる過不及の情を稱して伊川は欲とも人欲とも稱する。欲とは伊川に在つては、飲食男女等の內體的欲望其者を直ちに指すのではない。かゝる欲望でもそれが宜しきを得て過不及なく正しき場合には、それを欲とはよばぬ。それが過不及あつて不正に陷れるとき、始めて之を欲と呼ぶ(遺書卷二五)。ひとり此の肉體的欲望のみならず、たとひ愛とか敬とかの道德的情操でも、同じくそれが過不及あつて正しからざる場合には、之をも欲と呼ぶのである(易遯卦程傳參照)。此の過不及ある欲の情が暴威を逞しくする間は、性の自由は得られない。孟子言、養心莫善於寡欲、寡欲則心自誠(遺書卷二上)。故に欲を節して正に反らしめることが學の工夫の大切なる所である。而して之を爲すには何うすればよいか。遺書卷二五に、然則何以窒欲、曰思而已矣、學莫貴於思、唯思能窒欲、曾子三省、窒欲之道也といひ、爲學之道必本於思、思則得之、不思則不得也、故書曰、思曰睿、睿作聖、思所以睿、睿所以聖也といつて思の效を說く。卽ち情が內に起るや否や直に反省して之を思ふのである。思ふとは其情が過不及なきや否やを思ふのである。若し當に然かあるべき情ならば宜しきも、當に然かあるべからざるものならば直に之を制し窒いで宜しきに合せしめねばならぬ。かくして欲も過不及なく正しきものとなり、從つて、性の自由なる活動を害することもなくなるのである。之を損人欲、以復天理(損卦程傳)といふ。若し過不及の情を常に節して正しからしめることに努力して居れば、遂には情は發して自ら正しきを得て來る。然るときは性はそれだけ自由となつたのである。性がそれだけ自由となつたといふことは、氣質がそれだけ變化改善したことを意味する。節欲の工夫は自ら氣質變化の工夫である。氣質變化の工夫といふも實は節欲の工夫を外にしては其の一部分は失はれて了ふ。氣質變化の工夫の中に其一部分として節欲の工夫が含まれて居るのである。氣質の拘と人欲の蔽と兩者を併せ說くけれども、其實兩者は對立的のものではなく、氣質の拘が人欲の蔽を將來する。而も氣質の變化を期する爲めには、先づ節欲の工夫に著手しなければならぬ關係に在る。實行の立場から言へば反つて人欲に對する工夫が其の出發點であつて重要なるものとなるのである。

二、制行　節欲の工夫全くして「內直ければ則ち外必らず方」(遺書卷一八)であるが、節欲の工夫につとめねばならぬ間は、吾等の修養未だ全からざる者故に、外方ならずして動作は禮に合はざることが屢〻ある。此に於てか行爲についての工夫をも亦必要とするのである。雖有誠意、而所爲不合中行、亦不可也(易益卦程傳)である。行爲に於ける工夫とは行爲が時中なるや否やを檢して常に其の不正を改めて行くことである。時中の行爲とは禮に合する行爲である。常に行爲が禮に合するや否やを省みて言行を愼しみ禮に非ざれは視聽言動敢へて苟もすべきでない。かく禮に復るところに道の實現がある。克己復禮、乃所以爲道（遺書卷一）である。而して非禮勿視聽言動、積習儘有功、禮在何處（遺書卷六）、禮は禮を要せざるに至るを以つて理想とするものなるが故に、制行も之を積んで畢には動容周旋自ら禮に當るに至らねばならぬ。制行の外的工夫は節欲の内的工夫と相對立するが、而し二者は全然無關係といふのではない。制於外所以養其中也（近思錄卷五）であつて、制行は即ち節欲を助けて内性を養ふ上に大いなる效果をもつものである。制行は實に學の第二の工夫である。而して動作常に正しきを得れば性の活動は自ら正しきを得るに至る。性の活動常に正しきを得るは、これ氣質淸となりたるが爲めである。而も氣質の淸は動作の正を將來するが故に、制行に於ても亦氣質の變化を根本とはするが、而も制行の結果は反つて自ら氣質の變化を得るのである。されば制行も亦氣質變化の工夫に外ならぬ。節欲制行の内外兩方面の工夫を共に併せ行うて、始めて修養は其の進歩速かなるものがある。此の二工た全き結果、努力を用ひざるに自らよく内は情に過不及なく、外は行に不中なきに至つて、氣質は既に悉く變化せられて居る。氣質の變化全きに至つて此に學の目的は達せられたのである。節欲制行の工夫は要するに氣質變化の工夫に外ならぬ。而し人にのみ許された氣質變化の此の可能性も、努力なくては遂に單なる可能性に止まる場合もある。伊川云ふ、孔子所言上智下愚不移、亦無不移之理、所以不移只有二、自暴自棄是也（遺書卷二二上）と。自暴と自棄は吾等をして永遠に善惡二元の相對界に引き留めて彷徨せしめるものである。自暴自棄とは懈心一生、便是自暴自棄（宋元學案卷一五）であるから、學に於ては特に間斷なき努力を拂つて苟も怠ることなきを期せねばならぬ。

三、涵養　節欲制行の二者は共に性の既發に於ける工夫である。然るに性の自由の爲めの工夫は、ひとり　性の既發に於いて爲さるべきのみならず、性の未發に於ても亦之を爲さねばならぬ。物未だ來らずして性未だ動かざるとき、吾々は此の不動の姿のまゝに輝ける性を保持して行くことが大切である。是れ卽ち涵養である。而して此の涵養には敬が最も大切である。涵養須用敬（遺書卷一八）、喜怒哀樂未發之謂中也、敬不可謂之中、但敬而無失、卽所以中也（同卷二上）。敬によつて、靜かなるとき性が常に昭々として明らかなれば、物來つて當に之に應ずべくんは直ちに能く之に應じ、其應亦正しきを得、從つて又既發の和を得るに至る。伊川は、周濂溪の靜を重んずる思想を繼承して、未發の中を甚だ重視し、此の中の涵養を以つて節欲制行にも劣らぬ大切な學の工夫と考へたのである。敬の詳細は居敬の條に讓る。

四、窮理　學に於て必要な工夫に節欲制行があつた。然るに情の過不及を正さんにも、行爲を禮に合せしめんにも、先づ必要なことは如何なる情が過不及なく、如何なる行爲が禮に合するものなりやを知ることである。之を洞察するだけの明智がなければ、情をして正しからしむることも、行爲をして道に合せしめることも不可能である。從つて修養に於いて先づ必要なことは、知識を明かにすることといはねばならぬ。彼はいふ、學莫大於致知（遺書卷一七）。進學則在致知（同卷一七）と。致知とは盡知（同一五）で、己の知を完全に明らかにし盡すことである。然らば致知の法は如何。遺書卷十八には、或問、進學之術何先、曰莫先於正心誠意、誠意在致知、致知在格物といひ、同卷十五には、窮理格物便是致知といふ。卽ち格物窮理を以つて致知の法と爲した。格物とは、格至也、物事也、事皆有理、至其理、乃格物也（外書卷二）。格猶窮也、物猶理也、猶曰窮理而已矣（宋元學案卷一五）であるが故に、格物と窮理とは同一事である。凡そ天地の間の事物皆理がある。此の理を悉く究め知らねばならない。「其の大を語れば天、地の高厚に至り其の小を語れば一物の然る所以、學者皆當に理會すべし。又問ふ、知を致すに先づ之を四端に求むるは如何。曰く、之を性情に求む、固より是れ身に切なり。 然れども一草一木理皆有り、須らく是れ察すべし」(遺書卷一八)。 伊川に在ては、理は道と性との二者なるが故に、窮理も亦二者の探求でなければならぬ。朱長文に答へて、心通於道、然後能辨是非、如持權衡以較輕重云々(文集卷五)といふは、道の探求を究理と爲すものである。 易の繫辭上傳の解說中に、知幽明之故、知理與物之所以然也(經說卷一)といひ、遺書卷一八に窮理を述べて、一物之所以然をも理會すべきを說くは性を知るを窮理と爲すものである。 苟も萬理を窮めるといふ以上は、獨り道なる理を究めるのみならず、更に性をも究めなければならぬ。 唯だ彼は究理に於いて性をも究めることを特に明說はして居らぬまでゞある。 これが朱子に至つて特に明瞭に力說せらるゝに至つたのである。

窮理の方法に至つては、窮理亦多端、或讀書講明義理、或論古今人物、別其是非、或應接事物、而處其當、皆窮理也(遺書卷一八)といひ、或多識前言往行、識之多、則理明(同上)といひ、格物之理、不若察之於身、其得尤切(同卷一七)といつて、其の多種多樣あることを言つて居るが、要するに前人の言行に卽して理を知ると、自己の日常經驗に於いて理を知るとの二者を出でない。 而して前人の中最も重要なるものは聖賢であり、此の言行は悉く經に載せられて居るが故に、由經窮理(同卷一五)といふことが極めて大切なことなるのである。

さて事物の萬理は要するに一なるも、唯だ一理を窮めてそれで萬理が明とはならぬ。或問、格物須物々格之、還是格一物、而萬物皆知、曰怎生便會該通、若只格一物、便通衆理、雖顏子亦不能如此（宋元學案卷一五）といふ。又萬物の理は悉く性を根源とし、其性亦萬物一なるが故に、己の性を究め知れば萬物の性を知り、萬物の理自ら明かとなるが如きも彼は之をも認めぬ。自一身之中至萬物之理、但理會得多相次、自然豁然有覺處（遺書卷一七）といつて、飽迄萬物の理を窮むべきを主張する。然るに窮むべき理は萬理、限りある一人の力を以つてして無限の理を窮め盡すことは不可能といはねばならぬ。若し窮理が不可能ならば、延いて修養も亦不可能となる。かくて彼の倫理說は遂に成立せざるに至る。此に於いてか豁然貫通の思想をとり入れて此の難關を打開した。豁然貫通といふは一々事物の理を究めて次第に積習久しきに及べば、自ら豁然として覺り、それからはも早や窮理の努力を要せずして、機に臨み事に應じて「類を以つて推し」（遺書卷一五）、立どころに新たなる理をも知り得るといふのである。遺書卷一七に「人、理を明らかにせんと要して若し止だ一物の上に之を明らかにせば、亦未だ事を濟さす。須らく是れ衆理を集むべし。然る後脫然として自ら悟る處あり」。「須らく是れ今日一件に格り、明日又一件に格るべし。積習既に多くして然る後脱然として自ら貫通する處あり」といふ類は卽ち是である。故に所務於窮理者、非道須盡窮了天下萬物之理、又不道是窮得一理便到、只是要積累多後自然見去（遺書卷二上）。究理は一理に止まらず、さりとて萬理に及ぶの要もなく、唯だ貫通の處に至つて乃ち其の目的は達せられたのである。

然るに一物より他の一物へと次第に究理して進むにしても、或理は究め易く、或理は究め難い。かゝる場合には如一事上窮不得、且別窮一事、或先其易者、或先其難者、各隨人深淺（遺書卷一五）の心懸けが大切である。專ら一事に執著するが如きは避けなければならぬ。究理によつて外物の理を明かにし、以つて我知を致すのではあるが、その知はもと我性に完具するものである。外から加へられるものではない。究理によつて知を致すとは、我内面固有の知を明らかにするといふに過ぎぬ。致知在格物、非由外鑠我也、我固有之也（宋元學案卷一五）で、外面の一理を知れば卽ち内面の我性の一理亦明かとなり、かくて次第に進んで豁然貫通、萬理を究め盡せば其時始めて我知は完全に明らかとなり、究理の目的は達せられたのである。

五、居敬　究理を以つて進學の道となすこと上述の如くであるが、之と相併んで修養上極めて重要なるものと考へたものに居敬がある。涵養須用敬、進學則在致知（遺書卷一八）。敬の概念は儒教に於ては古來極めて重要なるものとして甚だ尊重せられて來たのであつて、伊川に至つて之に明瞭な定義を下した。遺書卷十五に、所謂敬者主一之謂敬といふは卽ち是であるが、然らば主一とは何か。主一者謂之敬、一者謂之誠（遺書卷二四）。然るに誠とは一心之謂誠（經說卷六）。故に主一てふ敬は專ら一心であることである。而るに彼は又云ふ、所謂一者無適之謂一（同卷一五）。と。一が無適ならば、敬なる主一とは主無適である。專ら適き移ることなきことである。これも亦敬である。主一の一が誠であり、無適であるが故に、誠と無適とは同じものである。卑近の例を以つて云はんに、敬とは如今端坐附火、是敬於向火矣、又豈須道將敬於水以助之、猶之有人、曾到東京、又曾到西京、又曾到長安、若一處上心來、則他處不容參、然則人心裏著兩件物不得（遺書卷二上）の如く、心を一事一物の上に專一にして決して他に適き移らしめないことである。大儒朱子が敬者主一無適之謂（論語集註學而）と敬について不動の定義を下し得たのは、其の基く所伊川に在ることといふまでもない。

伊川の倫理に於ては、心を專一にする場合に二ある。一つは性の未發の場合であり、他は性の既發の場合である。されば朱子も、二先生所論敬字須該貫動靜看方得（朱子文集卷四二、答廖子晦）といふ。而して又其の未發の場合といふにも二つある。性が昭々として輝きながら而も物未だ來らざるが故に動かざるも未發である。既に物來つて性は當に動くべきに、尙頑然として動かざるも亦未發である。前者は當に動くべからずして動かざるが故にその未發は正しい。此の時に於ては此の不動の性を輝けるまゝに保持涵養して行くことが大切である。此の涵養の爲に敬卽ち心を專一にすることが必要といふのである。此の場合心を專一にするといふのは、黃宗羲が收其心而不放、卽是敬（宋元學案卷一五）と說明せる如く、緊張して心を動かさず、言はゞ無心の狀態を持續して行くことである。性の不動の姿其儘に留るべく專一であることである。此の工夫があつて始めて、主一則既不之東、又不之西、如是則只是中、既不之此、又不之彼、如是則只是內存、此則自然天理明（遺書卷一五）といふような結果を得ることが出來る。後者は當に動くべきに反つて頑として動かざるが故にその未發は不正である。かゝることの起るのは性が明らかな自由な狀態に在らざるが爲である。かゝる束縛を受くる未發の狀態をそのまゝ繼續せしめる爲めに專一となることは敬の如くにして敬でない。朱子などは之を死敬と稱して居る。此の場合は性が正しく發動するように導かねばならぬ。次に既發の場合にも亦二つある。當に動くべくして動く場合と、當に動くべからざるに動く場合とである。後者は勿論不正であるが、前者に於ても亦其動に不正の場合があり得る。今、當に動く可くして動いた時、此の正しい情に少しの動搖をも與へずよく之を護り立てゝ行かねばならぬ。それが爲めには此の情に專一となるよう緊張しなければならぬ。かく一つの情に專一であることも亦敬である。若し當に動くべくして動いても、その動が不正の場合には、直に之を正さねばならぬ。又動くべからざるに動いた場合にもその動は不正なるが故に直に之を壓絶しなければならぬ。而して此等の場合にも亦正すことに專心でなければならぬが故に、敬は必要であるといはねばならぬ。敬はかく心を專一にすることであるが故に、凡そ善なることであれば、如何なることに於ても必要であつて、ひとり涵養のみに限るものではない。而し、周濂溪に師事した伊川は、靜を重んじて未發の中を甚だ重視し、古來儒教に於ける重要概念たる敬を主として此の中の涵養と結合せしめ、敬といへば涵養を思ひ、涵養といへば敬を聯想するほどに密接なる關係をもたしめたのである。然し伊川とても敬を只だ未發の中の涵養にのみ必要なるものとは考へず、既發に於ても亦必要なりと認めて居ることといふまでもない。未發の中の涵養と已發の和の維持とに專心なるが所謂敬である。而して此の敬に入る爲めの有力なる道は、自己の態度を嚴肅に保つことである。只是整齊嚴肅、則心便一（遺書巻一五）。嚴威儼恪非敬之道、但致敬須自此入（同上）といふ。

次に敬に當つて最も注意すべきことがある。それは外物の來つて性を動かすことを恐れ避けることと、敬たらんと思ふ心の存在とである。外物の來るを恐れ避くるは未發の中を存養せんと欲する所から起ることではあるが、それは涵養の精神を誤解したものである。若し外物にして當に來るべきものならば、來つて之に性が應ずることは當然のことである。當に來るべきものを避けてまで性の未發を保たうとすることは、性の自由なる發動を故意に制限しようとするもので、反つて性の完成を妨げる結果となる。これ明道の所謂自私である。若し當に來るべからざるものが來た場合には、性は之に應ぜざるまでゞあつて、之を避け退ける必要はない。此の意味のことを伊川は次の如く述べて居る。「問ふ、外物を惡むは如何。曰く、是れ道を知らざる者なり。物安んぞ惡むべけん。釋氏の學は便ち此の如し。釋氏は事を屏けんと要す。這の事は是れ合に有るべきか、合に無かるべきかを問はず。若し是れ合に有るべくんば、又安んぞ屏くべけん。若し是れ合に無かるべくんば、自然に無了。更に什麼を屏けん。彼の方外の者苟も且に靜を務めんとして、乃ち迹を山林の間に遠ざく。蓋し理明かなる者に非ざるなり。世方に以つて高惑と爲す」(遺書卷一八)。蓋し兄明道が其の定性書に於て性の動靜共に定の存することを說いて、外物に應ずることの嫌ふべきに非ざるを說けると同一の思想である。次に敬たらんと思ふ心の存在も亦心すべきことである。今已發に當つて諸の人欲を壓絕して獨り正しき情に專らならんとするとき、若し然かあらんと特に心を用ふるならば、其時は既に正しき情の外又此の心が動いてゐるわけである。それでは二心が存することゝなる。又未發の際も同樣である。若し未發の前に中を求めて得んと思ふ心あらば、既に思ふ心が動いてゐる故、未發の中はも早や既發と變つてゐる。されば敬たらんと思ふ間は敬の實現は不可能である。敬たらんと欲する心なきに至つて始めて眞に敬は實現出來るのである。遺書卷三に、忘敬而後無不敬といふ所以である。而し敬たらんと欲する心なくして敬たれと主張しても、初學の者に在つては不可能である。伊川亦之をも認めて、問敬還用意否、曰其始安得不用意(遺書卷一八)といつて居る。始めは意を用ひて敬たらんと努力はするが、此の修養を積むに從ひ次第に意を用ふることなくして敬たるを得るに至るのである。又、未發の前不動の中を其儘に持續して行くに些のしかあらんことを欲する心が動いてもいけぬといふ故にかゝる狀態は普通に所謂無心とも靜とも考へられる。而し伊川は無心といひ靜といはゞ佛老の說に陷ると爲して非無心、絕私心(近思錄)とか、纔說靜、便入於釋氏之說、也不用靜字、只用敬字(遺書卷一八)と主張する。

若し敬の工夫によつて內部の心を直くすれば、其の發現たる外部の動作は、自ら正しくなることは、內直則外必方(遺書卷一八)といふ如くであるが、嘗ても述べたように、未だ修養の途上に在る者に於ては尙內部の不正から來る外部の不正は免れ得ない。故にかゝる人に在つては獨り敬以つて內を直くするのみに止まらず、義以つて外を方にするの工夫を怠つてはならぬ。順理而行、是爲義也(同上)、義を積むことを集義といふ。而して義を行ふに當つては恭が必要である。恭と敬とは相似た概念ではあるが、發於外者謂之恭、有諸中者謂之敬(宋元學案卷一五)の相違がある。敬は專ら精神に關し、恭は專ら言行に關して言ふ。居敬の內面的工夫と共に、恭によつて外的動作をよく義に合せしめる。而して問人之燕居形體怠惰、心不慢可否、曰安有箕踞而心不慢者(宋元學案卷一五)制乎外、所以養其中也(同卷一六)などといつて、恭によつて外を正しくすることは、やがて内の敬を助くる所以を説く。内と外、敬と恭と相倚り相俟つて、始めて修養は全きを得るのである。而し彼は己を修むるに特に敬を主として説いた。蓋し彼は周氏の靜の思想に基いて甚だ涵養を重んじたが、この涵養の爲めには敬が必要であるからである。吳草廬の言、寔に人をして首肯せしめるものがある。即ち曰く、夫修己以敬、吾聖門之教也、然自孟子之後失其傳、至程子乃復得之、遂以敬之一字爲聖傳心印、程子初手受學於周子、周子之學主靜、而程子易之以敬、蓋敬則能生靜矣（宋元學案卷一六所引）と。

窮理と居敬とは修養上極めて大切なる二事であつて、互に相倚り相俟つて益〻其の目的を達成することが出來るので、二者其一を廢することは出來ぬ。二者は並んで行はれねばならぬ。究理の如きも敬に居つて始めて完全に行ひ得るのである。故に曰く、未有能致知而不在敬者（遺書卷三）と。否、獨り窮理のみならず、節欲、制行、涵養の如き、或は又次に述ぶる忠恕に至るまで皆敬に居つて始めて善く其目的を達し得るのである。實に入道莫如敬（近思錄存遂）である。

六、忠恕　曾子は孔子の道を云つて、「夫子の道は忠恕のみ」と斷じた。中庸には「忠恕道を違ること遠からず」とある。孟子も恕を以つて仁の術なることを論じて居る。此等の例によつても恕又は忠恕が古來如何に重要視せられたかゞ明かであらう。儒教に於ては他の人物の性を完全に盡さしめる爲めの方法として、從つて他の人物の完成をも內に包含する所の自己人格の完成に至る有力なる方法として、從つて又道德的な社會生活の成立原理として、此の恕又は忠恕が高調せられて來た。殊に宋代に入つては其の概念は一層分析的に詳細となつたのである。

既述した所で明かなように、伊川の思想に於いては自己人格の完成は必然的に自己以外の人物の完成を必要とする。他の人物の性を盡さしめることによつて、始めて自己の性は完全に實現せられる。學は完成するものである。而して他の人物の性を完成せしめることは我が愛の實現である。此の愛は仁の發たる惻隱の情を基調とすること勿論であるが、獨り此の情のみならず、羞惡恭敬是非等凡そ性から發現するあらゆる純情の融和協働によつて始めて生れ來る深い愛である。それは仁義禮智信なる全性の他物の上への働きかけであり、施し及ぼすことである。恕則仁之施、愛則仁之用也（遺書巻一五）。そしてそれは必然に他物の全性を實現せしめる結果を生む。かゝる全性の萬物の上への發現は、聖人の如き性の自由なる人に於ては、それは自然に可能であるが、未だ其域に至らざる常人に於ては、如何にせば他物の全性を實現せしめ得るかの方法を知つて之を實行することが必要である。而して其方法中最も緊切且つ有效なるものが卽ち此の恕又は忠恕なのである。

恕とは伊川之を定義して、推己之謂恕（遺書卷二三）といふ。己を推すとは己の欲する心を知つて之を他物の上に推し及ぼし、他物も亦此く欲するだらうと爲して彼をして此の欲求を實現せしめることである。恕の有名な命題としては、中庸に施諸己而不願、亦勿施於人といふと論語に己欲立而立人、己欲達而達人といふ二つがある。前者は恕の消極的方面を言ひ、後者は其の積極的方面を說いたものである。恕は又之を忠恕とも稱する。忠については、盡己爲忠（遺書卷二四）とか、忠者無妄之謂（同卷二下二）とか、極言之則盡己之性也（同卷二四）などいへるによつて知らるゝ如く、少しの邪心もなく、性の純粹なる發動を極めることである。而して恕字甚大、然恕不可獨用、須得忠以爲體、不忠何能恕（同卷一八）といふように、恕は忠と結合したものでなくてはならぬ。忠恕とはかゝる己の性の純粹なる發動を知つて、之を他物に推し移すことである。從つて一個人の主觀的なる欲求を推すが如きは恕ではない。かゝる欲求は性の純なる發動ではないから、之を推して他物の欲求となし、以つて他物をして此の欲求を實現せしめても、それは物の性を純粹に實現せしめることにはならぬ。他物の性の正しき發現は、唯だ己の性の純粹なる發現にのみ一致する。故に忠を體として之と結合した恕によつてのみ、始めて物の性を實現せしめ得るのである。此の恕を實行することによつて我性は萬物に對して實現せられ、萬物の性も亦同時に實現せられる。此の事あつて始めて我性は完全なる實現を遂げ、専言の仁に復り得て、修己の業は完きに至る。伊川が恕者入仁之門(遺書卷一五外書卷六)といひ恕者爲仁之方也(經說卷六)といふ所以も之に在るかと思はれる。若し恕を行ふことによつて萬物各々其の性を盡せば、其萬物は皆各々其所を得て、人類自然の兩界は調和と秩序とを維持して溫かい泰平の天地が現出するのである。儒教に於いて古來恕の重んせられし所以は實に此の爲めである。

伊川も亦明道と同じく忠恕に二種類あることを說いて、忠恕違道不遠非一以貫之之忠恕也(遺書卷二一下)といふ。道を違ること遠からざるの忠恕は、中庸に謂ふ所のものである。一貫の忠恕は論語に謂ふ所のものである。彼は前者を努力を含む學者の忠恕とし、後者を努力なき聖人の忠恕といひ、後者を前者と區別して仁其者と爲すのである。彼曰く、我不欲人之加諸我、吾亦欲無加諸人仁也、施諸己而不願、亦

勿施於人恕也、恕或能勉之仁則非子貢所及（經說卷六）と。

以上、學の工夫として節欲、制行、涵養を說き、究理、居敬、忠恕を論じた。此等の六者の關係に至つては、上述せる所によつて自ら明かなるべしと思はれるが、此に之を概說して伊川の修養論の結語とする。蓋し修養の目的は我性の自由を得る所に在る。性の自由は其の動と靜との二つの場合に於て考へられる。性の靜に當つては其儘之を涵養し性の動に當つては內は節欲外は制行によつて性の自由を得なければならぬ。然るは節欲には先づ情の正不正を知らねばならず、制行には先づ行爲の禮に合するや否やを知らねばならぬ。知を致して理に明かなるに非ずんば、此等のことは不可能である。此に於てか窮理を必要とする。而して此等の諸工夫を行ふことによつて獨善は得らるゝも、博施濟衆に至つては尙不充分たるを免れぬ。此の博施濟衆を完うせんが爲めに忠恕が必要である。節欲より以つて忠恕に至るまで、皆敬に由らざるはない。敬に居ること無くんば其の何れを問はず一として完成するものはない。居敬は實に伊川に在つては其の修養論の全體に渡る根本の問題である。さて以上の六者の工夫全うして、性は動靜共に自由となり、かくて學の目的は完成するのである。

第四章　政　治　論

實踐哲學中に政治論を掲ぐるに關しては、或は其の當を得ざるものに非ずやとの疑を抱く人もあるであらう。然し儒教に在つては政治も教育も等しく倫理の中に包攝せらるゝものである。或は曰く、儒者の政治論はあくまでも道德を根基として其上に打ち建てられた思想なるが故に、倫理とは密接なる關係を有つことといふまでもない。然し倫理は倫理、政治は政治である。其の政治論には政治論として自ら獨立の地位をあたふべきであると。なるほど儒者の政治論中には、堂々たる大論策もあつて、其等はたしかに政治論として獨自の地歩を占むるに充分なるものがある。しかし其の政治論もそれが儒者の政治論であり、その儒者が孔孟の精神を率直に奉ずる者である限り、それは依然として倫理の範圍に包含せしめてもよいであらう。儒教の說く所、唯だ成己と成物との二事に止まり、成己は倫理に關し、成物は政治に係つて、兩者各〻其の當るところあるが故に、兩者混じて一とするは是に非ざるようでもある。しかし人各〻其分内に於いて成物のことを全うするに非ずんば、其人の修養は未だ全しとはいへぬ。世を厭うて山林に入り、獨り己を善くする如きは儒敎倫理の退くる所である。成物を無視する間はまだ己は成らぬ。眞の成己は成物のことを全うして始めて得られる。故に成己の中自ら成物が含まれてゐる。かくて政治は成己の圏内に屬し實踐哲學の範圍に入り來るであらう。況んや明道が天地萬物を以つて我と一體となすところに我が仁德の完成を見、伊川が愛よく萬物に及べば仁の用完たく、仁の體用全くして仁德卽ち我に備はると爲すに於てをや。此の意味に於て余は二程子の政治論を實踐哲學の範圍に持ち來つたのである。

孔子曰く、書云、孝乎惟孝、友于兄弟、施於有政、是亦爲政、奚其爲爲政と。家を齊ふるも亦政を爲すのである。國を治め天下を平にするも勿論政を爲すのである。其の及ぶ範圍の廣狹に關せず、凡そ人を治むるところ、其處に政があるといへるであらう。然し此に說く所の政治は特に人君の政治である。一國天下を對象とする天子の政治である。

明道は歲僅かに十五六の時、旣に科擧の業を厭ふて慨然道を求むるの志があつたが、冠を踰えて進士の第に上り、鄠縣の主簿となつた。是から彼の政治生活が始まつたのである。政治上の治績に至つては略傳に於いて之を述べた。此には彼の政治論を一瞥する。

政治の理想　仰、儒學の本領は、素と經世濟民に在り、治國平天下に在る。而して其の理想の王は堯舜禹湯文武であり、理想の治は唐虞三代である。明道の理想も亦之と同じい。當時王安石は非常の才を抱き、自ら周公を以つて任じ、君を堯舜に致さんと欲し、神宗の信任厚きを恃んで、自家の所信を悉く天下に施さんとして新法を布いた。然るに明道は、眞に君を堯舜に致し、治を三代に比するの道は、決して新法に非ずと爲し、極力之に反對し十度び疏を奉つて詳細に自己の意見を開陳したのである。

王霸兩道　明道謂へらく、天下を治むるの道には二ある。一は王道にして一は霸道である。王道は天理の正を極め、人倫の至りを極めた者で、堯舜の道である。霸道は私心を用ひ仁義の偏に依るもので、霸者の道である。王道は坦なること砥の如くで、人情に本づき禮義に出づるものである。若し此の道によつて天下を治めんか、恰も大路を踏んで行くが如くで、何等の回曲も困難もない。然るに霸道は全く之に反し、崎嶇として曲徑の中に反側し、卒に堯舜の道に入ることが出來ぬ。（論王霸辨）。されば君たる者王道によるべきは勿論であるが、王霸二道の分るる所以は、實に其の初を審かにすると否とに在る。毫釐の差はよく千里の繆を致すものである。而して其の初を審かにするとはどうすることか。それには二ある。一は義理を明かにすること、二は志意を定めることである。君道に大切なる點は、古に稽へ學を正し、善惡の歸を明かにし忠邪の分を辨じ、曉然として正道に趨くに在る。これ先づ義理を明かにすることの必要ある所以である。善惡忠邪の義理明かになつて、然る後には其の邪惡を去り善惡の正道を固く執つて移らぬことが必要である。是れ志意を定めることの必要なる所以である。志を定めるとは、心を一にし意を誠にし、善を擇んで固く之を執ることである。若し先づ義理を明かにせねば、多く聽いて惑ひ易い。先づ志意を定めねば、善を守つて或は移るの恐れがある。故に君たる者は、此の二者を必ず先づ初めに行はねばならぬ。それには唯だ聖人の訓を以つて、必ず當に從ふべしと爲し、先王の治を以つて必ず當に法るべしと爲して決して後世駁雜の政に牽制せられず、流俗因循の論に遷惑せられず、自ら知ること明を極め、道を信ずること篤きを極め、堯舜の道の己に備はれるを知り、身に反して之を誠にし賢臣に任じて貳することなく、邪を去つて疑ふことなく、必ず世を三代の隆盛の如きに致さんことを期せばよい。（論王覇辨 論君道）。

用賢臣　天子既に義理明かとなり、志意亦確立するを得ば、治平の效の大半は得られたといつてもよい。然しこれのみにては未だ十分ではない。之と共に極めて重要なることは賢臣を得ることである。彼曰く「臣伏して謂へらく、天下を治めて以つて風俗を正すは賢才を得るを本と爲す」（請修學校尊師儒取士劄子）。蓋し天下の患は常に忽微に生じ、志も亦漸習を戒しむべきである。故に古の人君は出入從容間燕の間と雖も必ず誦訓箴諫の臣があつた。君の左右前後は悉く正しい臣ばかりであつた。是を以つて君は其德業を成就することが出來たのである。故に君たるものは老成の賢儒に禮命し、必ずしも職事を以つて之を勞せず、日々便座に近づいて道義を論じ、以つて聖德を輔養せしむべきである。又、心を同じうし德を一にするの賢俊を擇んで陪侍させ、朝夕延見して善道を開陳し、治道を講磨せしめ、以つて君の開聽を廣うすべきである。是の如くすれば聖智は益〻明かに、王猷は允に天下に塞がるに至るものである。古に三公の必ずしも備はらなかつたのは賢才ならぬものをして位に居らしめんよりは、寧ろ之を闕くの勝れるが爲である。蓋し小人の事は君子の同じうする能はざる所であり、聖賢の事は庸人の參はるべきものではない。今聖賢の事を爲さんと欲して庸人をして之に參はらしめんかこれ君子に任じて又小人の議を容れるのである。かくてはたとい聰明を欲し志意のまらんことを希ふもそれは到底得べからざることである。（論王覇辨論君道）。

仰〻當代を論ずる者は皆賢を得れば天下治まることを知るも、然も未だ賢を致す所以の道を知らぬ。故に衆論は紛然たるも未だ其要を極めず、朝廷も亦之を行ふを難しとして爲さぬのである。天下は廣い。賢に乏しい筈がない。而るに朝廷には賢を養ふの設備がない。其處で新たに延英院を設けて以つて四方の賢を待てばよい。凡そ輿論で推薦せられた者や巖穴の賢は必ず之を招致して優待し、その品に應じて俸を給すべく、而し急には官に任せず、たゞ詔に應せしめるに止め、凡そ政治あれば之に委ねて詳定させ、凡そ典禮あれば之に委ねて討論させる。而して其の經畫は之を奏陳し治亂は之を講究するを得しめる。常に群居して切磨させ、日々其の材を盡し其の心を行はしめる。而して政府及び近侍の臣をして彼等と互に相接せしめ、天子は時に召待を賜ひ以つて其の材識器能を觀るべきである。かく察すること數歲にして人品は益〻明かとなるから、此に始めて賢者は位に就け能者は職に任じ、或は群縣に委付し、或は士儒の師表とすればよい。其の德業の最も非凡なる者は輔弼とし公卿とする。其の適材を適所に用ひて餘す所なからしめねばならぬ。是くの如くすれば悉く並び進んで野には遺賢なきに至るのである（論養賢子）。而しこれは賢才を得るの方法であつて賢才を養成するの制ではない。賢才を養成する方法に至つては、學校を完備し師儒を尊ぶのが最もよろしい。學問道德共に全き者を擇んで、上は太學より下は郷黨の學校の師とする。學を願ふ士や民の俊秀なる者を擇んで學校に入れ、相當の物的援助特典を與へて勉强をさせ、次第に上級の學校に進めて卒に太學に學ばしめる。大學は每年學生中の賢者能者を朝に論ずる。朝廷は更に其材を見て差等を設け相當なる秩を與へる。たとい學校に居らずとも又學校に入つてからまだ短日月であつても、其の學行超卓して衆人の信服するようなものは之を特に選拔して推薦する。凡そ公卿大夫の子弟は皆學校に入學せしめるが其の京師に在る者は太學に入れ、外に在る者は各〻其の在る所の州の學校に入れる。かくして人材を敎育養成すれば賢才を得ること漸く廣く、天下の風俗も醇正となるに相異ない。學校を修め師儒を尊んで賢才を取ることは是れ實に王化の本である。（請修學校尊師儒取士劄子）。

政策　人君既に堯舜の資を得、人臣も亦伊尹周公の才あれば、天下の泰平隆昌は自らにして得らるゝことと言ふまでもない。而もながら聖君賢臣の天下を治むるや亦政策の力を籍らざるを得ぬ。古の聖人が法を定むるは皆人情に本づき義の宜しきに合せしめた。故に聖人の制法と雖も今の人情に適はず今の世情に宜しからぬものは之を改むべきである。徒らに古に泥んで之を今に施す能はずんば、是れ陋儒の見であつて、かゝる者は治道を論ずるに足らぬ。しかしながら若し今人の情は皆已に古と異なり、先王の事蹟を再び今の世に復活することは全く不可能と爲し、唯だ目前の便に從つて高遠を務めざれば、これ又大いに爲すあるの論ではなく、未だ以つて當今の極弊を濟ふに足らぬ。實に爲治の大原救民の要道に至つては、前聖も後聖も共に一貫、古今によつて差異變化のあるものではない。而して必ず聖人の爲す所のもので當今に於て必ず復活すべき政策は概ね之を數へ擧げることが出來る。其一は師傅を設けることである。古は天子より庶人に至るまで必ず師友を須つて以つて其の德業を成就した。故に舜禹文武の聖君も亦皆師傅について學んだものである。然るに今は師傅の職修まらず友信の義は未だ著れぬ。是れ德を尊び善を樂むの風が未だ天下に成らぬ所以である。其二は六官は設けることである。王者は必ず天を奉じて官を立てた。故に天地四時の職は二帝三王を經ても未だ嘗て之を改めなかつたのである。唐に至つて猶ほ僅かに存した。然るに今日は官秩は淆亂し職業は廢弛して了つた。此れ泰平の治の未だ至らぬ所以である。其三は經界を定めることである。天は蒸民を生じ之が君を立てゝ之を司牧せしめる。而して必ず其の民の恒産を制し、之をして生を厚うせしめる。故に君は經界を正し、井地を均うしなければならぬ。是れ治國の大本である。唐には尙ほよく口分授田の制があつたが、今は全くそれが毀れて了つた。從つて富者は州縣にも跨つて土地を有するに、貧者は流離餓殍の悲境に泣いて居る。若し此の儘に放任すれば國を去る者や死する者は彌〻多くなるであらう。これ殊に治亂の源である。其四は鄕黨を修めることである。古は政敎は鄕里に始まり、其の法は比閭族黨州鄕酇遂に起り、以つて相聯屬統治した。故に民は相安じて親睦し、刑法を犯す者も鮮なかつた。誠に之を行へば效がある。其五は貢士を取ることである。抑〻學校の敎は人倫を明かにして天下を化成する所以である。今師學は廢れて、道德は亂れ禮義は興らぬ。貢士は鄕里に本つかずして行實は修まらず、秀民は學校に養はれずして人材は多く廢れて居る。其六は兵役である。古は府史胥徒は祿を公上に受け、兵と農とは未だ始めから判れなかつた。今驕兵は耗匱し國力も亦已に極まる。故に禁衞の兵以外は次第に之を農に歸さねば深慮を貽すであらう。府史胥徒の害は天下に遍ねき有様である。故に其制を改めねば恐らく大患は免れないであらう。其七は民食を足すことである。古は民には必ず九年の食があつた。三年の食なきものは國も其の國ではないと考へたのである。今天下を觀るに耕作する者は少なくて食ふ者の方が多い。地力は盡さず人功も勤めず、從つて富豪と雖も殆んど餘積が無い。況んや貧弱なる者に於ておやである。或は一州一縣に年歳の凶あれば、忽ちにして盜賊は縱横し飢饑の者は路に滿つる有様である。若し不幸にして方二三千里の災が起るか、或は遠年の飢饑でもあれば朝廷は如何に之を處せんとするか。其の方法さへ明かでない。固より宜しく古制に從ひ田を均しくし農を務め、公私交〻儲粟の法を爲して以つて之が備を爲すべきである。其八は四民に常職あらしめることである。古は四民各〻常職があつた。其の中農業に從事するものが八九割、故に衣食は給し易くて民は困苦することがなかつた。然るに今や京師の浮民は百萬を逾えて居る。此儘にしては愈〻增加するのみである。久しうすれば手のつけようがなくなるであらう。今の中に多きを均しうし寡きを恤れみ、次第に之が業を爲して以つて之を救ふがよい。其九は川澤の政を整ふべきことである。古は山虞澤衡各〻常禁があつた。故に萬物も豐富であつて財用は乏しくなかつた。今は之を用ひて節なく之を取るに禁もない。かくては山に樹木が蕃茂することなく、川澤に魚鼈は竭盡する外ない。故に今の爲すべきは虞衡の職を修めて山林川澤の天物を養はしめるに在る。其十は分數に關することである。古は冠昏喪祭車服器用は等差分別あつて敢へて踰僭しなかつた。然るに今や禮制は未だ修まらず、奢靡相尙び卿大夫の家はよく禮に中るなく、商賈の類は或は王侯を踰えて居る。禮制は人情を檢飭するに足らず、名數は貴賤を旌別するに足らぬ。既に定分がなく奸詐攘奪人々は其の欲を逞うせんことを求めて止まぬ。是れ實に爭亂の道である。宜しく社會の制度各々定分あつて亂れぬやうに取はかるべきである。

以上の十者は彼の論十事劄子に述ぶる所のものであつて、是れ實に明道の政策の大綱である。若し賢君が賢臣と力を戮せて王道を行ひ、此等十條の政策を遂行すれば衰亂の當時を變じて泰平の治を致すべしと考へたのである

理想　伊川曰く、人君之道以人心說服爲本(兌卦程傳)と。又曰く、得衆心服從而歸正、王道止於是也(師卦程傳)と。實に政治の理想は人民をして心から悅服して正しきにつき

善を爲さしめる所に在る。而して此の理想を實現するに最有效なるものは君の德である。爲政以德、然後無爲（外書卷六）である。人君上に無爲にして萬民下に生に安んじ道を樂しむは德を以つてするに如くはない。「君仁ならば仁ならざるなく、君義ならば義ならざるなし。天下の治亂は、人君の仁不仁に係るのみ」（同上）若し君にして非心一度び內に生ずれば、必ず其害は外政治に及ぶものである。孟子が三度び齊の宣王に見えて而も其の言ふ所は一も政治に及ばなかつた。門人之を疑ふ。孟子乃ち曰く、我は先づ其の邪心を攻めるのである。心既に正しくして然る後天下の政事は理まると。夫の政事の失は知者は能く之を更め直者は能く之を諫めることが出來る。而しながら非心が改められぬ限りは、一事の失は或は救うて之を正し得ても、後來續出する失に至つては到底救ふに勝へざるものがあるであらう（同上）。故に人君の非心を格すことが治道の本であつて政事は治道の末である。而しながら孟子の既にいふように其心あつて其政事なきは徒善であり、其政事あつて其心なきは徒法である。仁心仁聞あつて而も民其澤を被らざるは先王に仁政なきが故である（上仁宗皇帝書）。君心の仁と政事の正とは兩々相俟つて始めて其效を收め得るものである。此に於てか政治論も自ら人君の修養と政事との二方面に渡らねばならぬ。

人君の修養　億兆の人心を感化して天下を和平に至す所以のものは實に人君の至誠である（咸卦程傳）。人君よく至誠にして天下を益すれば、天下の人必ず至誠君を愛戴して君の徳澤を以つて恩惠と爲すであらう（益卦程傳）。而して人君若し至誠たらんと欲すれば、邪心を閑ぐに如くはない。邪既閑、則誠存矣（乾卦程傳）。邪を閑がんと欲すれば敬でなくてはならぬ。其敬たるや最も專一なるものでなくてはならぬ。恰も宗廟の祭に始めて盥する時の如くでなくてはならぬ。盥は祭の始なるが故に、人心は精誠嚴肅の至である。たとひ震百里を驚かすとも匕鬯は喪はぬ。人君常に莊敬を極むること始めて盥する時の如く、誠意をして少しも散せしむること無ければ天下の人顒然として之を瞻仰し其孚誠を盡さざる者無きに至る。（觀卦、震卦程傳）

かくして人君の聖徳は養はれるのではあるが、人君は少しも早く其德を全くしなければならぬ。故に特に幼少の頃より道を聽くの要がある。蓋し人の幼なるや、其の知思未だ定まらぬ故、格言至論は耳に盈ち腹に滿ちて久しくして自ら安く、遂に之を固有するが如きに至り、も早や他言を以つて之を惑はさんとするも先入主となつて入る能はざるに至るものである（上太皇太后書）。長ずるに及んでも必ず師傅の官を設けて君德を輔養すべく、一日の中に於ても賢士大夫に親しむ時を多くし、寺人宮女に親しむ時を少なくすれば、自然に氣質も變化して德器も成就するのである。

政事　人君たるものは以上の如くにして常に己の修養を怠らざると共に、又天下を治安に致すべく大いに政事に力めねばならぬ。而して凡そ天下を治安に致さんと欲せば、先ず敎を以つて本とせねばならぬ。敎盛んならば小人は身を修め君子は道を明らかにし、禮義は大いに行はれ習俗は粹美となる。かくて刑罰設けらるゝも犯すものなきに至る。三代の聖治も實に敎によつて致せるものである。若し法令上に嚴にして、敎下に明らかならずんば、民は放僻にして罪に入り、然る後從つて之を刑するが故に、風俗を美にして善治を成すが如きは到底望めない。（爲家君請宇文中允典漢州學書）。敎と共に一方又刑罰を設けることが必要である。凡そ下民の暗愚なる者は當に刑罰を明らかにして之に示し、以つて之を畏れしめ然る後之を敎導しなければならぬ。古より聖王天下を治むるや刑罰を設けて以つて其衆を齊しうし、敎化を明らかにして以つて其俗を善くしたのである。刑罰立つて後敎化は行はれる。聖人は德を尙んで刑を尙ばぬけれども、未だ嘗て偏廢はしない。政を爲すの始め先づ法を立て、暗愚を、治むるの初め刑を以つて之を威す。威して其欲を肆まゝにせしめずして漸次に善道を知つて其非心を革めしめば、こゝに風を移し俗を易へることが出來るのである(蒙卦程傳)。刑罰の必要なること此くの如くではあるが、億兆の衆が皆其邪欲の心を起せば、如何に法を密にし刑を嚴にしても之を制し切れるものではない。其處で其の本源を塞絶することが必要である。それが爲に敎が必要なのである。苟も敎を知らずして飢寒に迫られると、假令日々刑殺を施すとも億兆の利欲の心をどうすることも出來ないのである。刑罰は廢すべからざるものであるが、敎に比すれば本末の差あることを忘れてはならぬ(大畜卦程傳)。敎化あまねく刑罰よろしきを得ることは國家治安の根本なること以上の如くであるが、凡そ天下の安危治亂の機に六あることを知らねばならぬ。其一は朝庭に綱紀あつて百職を總攝することである。然らざれば之を擧げて條なく之を委して整はぬ。其二は郡縣の官人を得て職修まることである。かくて惠養道を得て朝廷の政化もよく下に宣達する。其三は百姓業に安んずることである。然らば民衣食足つて恒心あり、孝悌忠信の敎を知るが故に、之を率ゐて從ひ易く、之を勞して怨まず、心君に服して動搖しない。其四は化行はれ政の肅なることである。かくて姦宄盜賊の患なく、たとひ之あるも殲滅の備あつて響應の虞なきが故に之を恐るゝに足らぬ。其五は民心和して陰陽の順なることである。かくて水旱蟲螟の災はないであらう。たとひ之有るも　害を爲し得ぬであらう。蓋し倉廩實ち府庫充ちて官用上に足り民食下に足るからである。其六は武備修まつて威靈振ふことである。かくて蠻夷戎狄も敢へて服せざるなきに至るであらう。たとひ服せざるも甲兵利にして儲備豐に、將士の訓錬よろしきが故に憂ひと爲すに足らぬのである。

以上の六者は誠に國家治安の機であつて甚だ大切なることではある。而しながら更に此等に先んじて根本的に必要なるものがある。一に曰く立志、二に曰く責任、三に曰く求賢、而も三者の中又立志は其の本である。所謂る立志とは、君が治を求むるの志を立てるのである。更に言へば、至誠心を一にし、道を以つて自ら任じ、聖人の訓は必ず信ずべしと爲し、先王の治は必ず行ふべしと爲し、近規に紐滯せず衆口に遷惑せられず、必ず天下を三代の世の如きに致さんことを期するをいふのである。一夫の身を以つてするも志を立つること篤くなければ自ら修めることが出來ぬのである。況んや天下の大に於ては剛健に非ずんば到底之を治めることが出來ぬ。古より人君、天下を治めんと欲せざるものは無いが、而も治めんと欲して措く所を知らず、或は始め鋭なるも其の終を克くせず、或は積久の弊に安んじて改め得ず、或は衆多の論に惑はされて適用を知らざる類、皆人君の志が確立せぬ故である。次に所謂る責任とは臣に責任を負はしめることである。海宇は廣く人民は多い。到底一人の能く治むべきではない。必ず輔弼の賢に頼つて始めて天下の務をなし得るものである。古の聖王は皆輔相に任ずるを以つて先としたのも所以あることである。而して圖任の道は、愼しんで擇ぶことが本である。愼しんで擇ぶが故に明らかに知り、明かに知るが故に篤く信じ、篤く信ずるが故に專ら之に任じ、專ら任ずるが故に厚く禮して重く責めるのである。愼しんで擇べば必ず賢を得、明らかに知れば其成功を疑がはず篤く信ずれば臣は其誠を致し專ら任ずれば其才を盡し、厚く禮すれば體貌は尊く其務は重い。重く責むれば臣は自ら任ずること切にして功は成るのである。次に所謂る求賢とは賢を求めることである。既に治を求むるの志を立て、又責任の道を思へば、次は賢を求めることが先づ第一に必要なことである。苟も賢を得ずんば人君上に心を焦し思を勞しても施す所はないであらう。誠に天下の賢を得て之を朝廷に置けば、端拱無爲にして天下は治まるものである。古の聖王のよく天下の治を致せる所以は他に原因があつたわけではない。唯公卿大夫百職群僚が皆其の任に稱へるからである。何故に其任に稱ふことが出來るか。唯だ賢者は位に在り能者は職に在るからである。天下の治まるは賢を得るにより、天下の治まらざるは賢を失ふに由る。賢を求むること斷じて忽諸に附すべきではない。（爲太上皇帝應詔書及上仁宗皇帝書）。

以上の如く君苟も身の修養を怠らず、他方志を立て賢臣を求め賢臣に任じ、以つて敎化を宣べ刑罰を正しうすれば、治安の六機全きを得て、聖人無爲垂拱の治を實現し得ること疑なき所である。

第五章　結　論

明道は天性渾然として德性寬宏、規模濶廣にして識見卓絶、誠に光風霽月の懷があつた。先儒は稱して顏子の風ありといつたほどである。從つて彼の學は直覺の趣が甚多い。其の說の歸結の深遠なるに反し、之に到達する道程に於ては敎示する所極めて簡略であつた。故に後儒は彼の說を以つて自ら地位高き者の事と評するに至つた。彼が學の要を說ける識仁篇と聖人の境を說ける定性書とは共に學說の大頭腦であるが、論ずる所は可成り抽象直覺的である爲に、初學者は之を讀んでもピッタリと心に響いて來ない。且つ其思想にも徹底せざる所があつて、議論も多く論理的の詳述を缺く故、理解し難い點もあり不備なる所も少なくないやうである。今其二三の例を擧げんに、

一、陰陽二氣は交々感じ、動靜聚散するといふが何故にしかあり得るか。

二、陰陽二氣の交感ずる時氣に偏正を生ずるといふがそれは如何して可能であるか。

三、人物の形體及び幸福上の差異は何に原因するか。

四、陰陽二氣が物を生ずるといひ、天地の大德生の理が物を生ずるといふ。然らば兩者の關係は如何。

五、本然氣質の兩性の差異は如何。

六、性と理と道との相互關係は如何。

七義禮智信は皆仁なりといふが、其等の仁に對する關係は如何。

八、修養上忠信自私用智敬義を主張するが、其等相互の關係は未だ充分に明らかでない。

九、政治說は醇乎たる儒者の議論で、外に夷狄の難あつて內政甚だ振はなかつた當時の情勢を挽回する爲めに稍迂遠の嫌もあつたであらう。

上述の如く其學說には缺點も多かつたけれども、能く儒敎の衰を動かして宋代學術の勃興に貢獻し、其の直覺頓悟の學風はやがて陸象山、王陽明の碩學を出だすに至り、直接間接其の儒學に貢獻したことは決して甚少ではなかつたのである。

彼の學友には弟伊川を始め張橫渠、呂元明があり、門人には劉質夫、李端伯、楊龜山、游廌山、呂藍田、朱光庭等があつた。

伊川は爲人道德純備、言へば必ず忠信、動けば必ず禮に遵ふ。實に特立の操出群の資を具へてゐた。學問は淵博にして經術に明らかに、古今治亂の要に通じ、經世濟物の才があつた。其の己を處し物に接するや誠敬、家には孝弟、君には忠義、實に天民の先覺、聖代の眞儒であつた。孔孟沒して其道久しく傳はらず、程子出でて之を發明するに及んで、始めて學んで之に到るを得るに至らしめた。彼の易に於けるや理に因つて以つて象を明らかにして體用の一源なるを知り、春秋に於ては諸行事を見て聖人の大用を知り、諸經に於ては其の微旨を發して仁を求め德に入るの方を知つた。其の性卽理の說は橫渠の心統性情の說と共に朱子の最も激賞するところ、濂溪の靜に代ふるに敬を以つてし、敬の字尙ほ未だ盡さざるところありとして、之に益すに窮理の說を以つてした。後の朱子をして其の思想の宏博と深淵とを致さしめし所以のもの、實に伊川に負ふところ大なりといふべきである。

學友には司馬涑水、呂晦叔、韓持國、張橫渠、朱樂圃、范華陽等があり、門人には劉質夫、李端伯、呂原明、謝上蔡、楊龜山、游廌山、呂藍田、尹和靖、羅豫章等有名なる人々が多かつたのである。（おはり）

假定としての辨證法的方法

世良壽男

この論文はヘーゲルのロゴスの辨證法とフィヒテの我の辨證法及びこの兩者の聯關についての敍述をば豫想してゐるものである。なほプラトーンのテキストの解釋は主としてシュライエルマッヘル譯に從ふたものである。

第一　プラトーンに於ける假定としてのイデアの辨證法

一

かのディオゲネス・ラエルティウス(Diogenes Laertius)はその『有名なる哲學者の生涯、敎理及び箴言』に於て『アリストテレースはその「ソピステース」(Σοφιστής)に於て、エムペドクレスをば雄辯法(ῥητορική)の創始者として、そしてヅェノンをば辨證法(διαλεκτική)の創始者として表はした』(Diog. Laert. VIII, 57)と言つてゐる。然るに彼はまた『哲學の作業は以前には物理學といふ唯一の領域に限られてゐた、それに對してソクラテースは倫理學を附加へた、そしてプラトーンは第三の領域として辨證法を附加へた、そしてこれと共に彼は哲學の完き高處に到達したのである』(Ib. III, 56)とも言つてゐる。しかしかく一方に於てヅェノンが辨證法の創始者として考へられたと共に他方に於てプラトーンが同じく辨證法の祖と考へられたのは如何なる理由によるのであらうか。　これは哲學的方法としての辨證法そのものの性質に於けるかの二つの種類、卽ち消極的辨證法又は主觀的辨證法と積極的辨證法又は客觀的辨證法との區別をば指示してゐるものと考へることは出來ぬであらうか。吾々は先づヅェノンの辨證法からプラトーンの辨證法への發展をば概觀することによりてこの二種の辨證法の性質とその内的聯關とを考察して見たいと思ふ。

ヅェノンの辨證法がかのエレア派の先驅者たるクセノパネース、特にそれの確立者にしてヅェノンの師たるパルメニデースの哲學にその基礎を有つのは言ふまでもない。　卽ちクセノパネースが『若し牛や馬や獅子が人間の如く手を有ち、又その手をもつて畫くことが出來且つ制作をなすことが出來るならば、馬は馬のごとき、牛は牛のごとき神の姿をば畫くであらう』(Diels, Fragmenta I, S. 60—1)と言ふとき、そこに反定立の立場に於ける矛盾を指摘することによりて自己の定立の正當性をば主張せんとする辨證法の消極的性質をば見ることが出來、またかのパルメニデースがこの明らさまなる現實の流轉に於て非存在を見、そしてその非存在の概念に於て又これによつてかの生成といふことの中に含まれてゐる存在と非存在との結合の矛盾をば看取し、かくして『存在するもののみが存在する、非存在は可能でない』(Ib. S. 153) と主張するとき、辨證法そのものに於て最も重要なる本質的意義を有つところの矛盾性の概念の自覺的使用をば既にそこに見ることが出來るであらう。しかもそれにもかかはらずなほ彼等ではなくしてヅェノンが辨證法の創始者と考へられるのは何故であらうか。それはクセノパネースに於ては矛盾律が使用されてはゐるがそれは未だ自覺的でなく、又パルメニデースに於ては、矛盾律は自覺的に使用されてゐるにかかはらず、それはどこまでも存在するものについてのかれの主張をば存在するものの概念から直接的に導出する場合の直接的推理に於て使用せられてゐるものであつて、その論議はどこまでもモノロゴス(μονόλογος)であり、未だディアロゴス(διάλογος)ではない。これに對してヅェノンは例へばかれの師の唯一絶對の存在の立場を擁護するために『多は同一事物が限界性と無限界性とを有つといふ矛盾を含む』といふことを示すところの間接的推理の方法をばとつたのである。『若しそこに多(πολλά)が存在するならば、そこには必然的に實際に現存してゐるだけの、卽ちより多くでもより少くでもないだけの事物が存在せねばならぬ。然るに若しそこに存在するだけの事物が存在するならば、それは限界附けられてゐる(πεπερασμένα)』。しかもこれと同時に『若しそこに多が存在するならば、存在するものは無限界的(ἄπειρα)である。何故ならば個々の事物の間には常に他の事物が存在し、そしてそれ等の間には更に他の事物が存在するから。かくして存在するものは無限界的である』(Ib. S. 175)。卽ちヅェノンは、人が相反對する想定に於て矛盾に陷る、といふことをば言はば反對者との對質に於て推理しゆくといふやうな間接的推理法をば使用することに於て、かれの方法はもはや單なるモノロゴスではなくしてディアロゴスであり、從つてそれは言葉の原始的意味に於けるディアレクティケー、卽ち辨證法であるといふことが出來るであらう。然しながらヅェノンのこの辨證法はたとひその意圖が前述の如く存在するものの唯一性、不變性をば、これに對する反對に反對することによつて救護することにあつたとしても、このかれの辨證法の實行そのものは、丁度かのプラトーンが『エレアのパラメデース(卽ちヅェノン)は術によりて聽手に同一物をば類似的にしてまた非類似的に一つにして且つ多、靜止的にして且つ運動的に見えしめるやうに語る』(Phaidros 261 D)と言つてゐるやうに詭辯的であつて、從つてかの『より惡しきものをばより善きものとなさんとする』とアリストテレースが評したところの(Rhetorica 1402 A)、かのソフィスト達の『惡しき意味の辨證法』の性質をば多分に含んでゐることは否定することを得ない。 卽ちヅェノンの辨證法はなほどこまでも主觀的形式的であつて、未だ客觀的、內容的の辨證法ではない、從つてヅェノンが辨證法の祖と稱せられるのは積極的辨證法に對してよりもむしろ消極的辨證法に對してであると言はねばならぬ。 このヅェノンの主觀的形式的なる消極的辨證法に對し、存在するものに於ける矛盾と、それの統一への歸入との循環的聯關をばどこまでも實在そのものの眞實なる相として把捉することによりて客觀的、內容的なる積極的辨證法の方向に一歩を進めたものはかのヘラクレイトスである。 卽ち彼はかのパルメニデース、ヅェノン等エレア派の人々が實體をば主要事とし、そして現象の變化をば假象とした間に、過程をば主要事とし、そして實體をば附帶事として考察した。 彼によれば、すべての事物は決して或る獨立的のもの、持續的のものではなくして斷えず生滅しつつあるものである、すべては流轉しそして何ものも留らない、そしてこれはすべてが相反對する作用方向の交叉點であり、すべての變化は一つの狀態から反對の狀態への移行きであるからである。 かくして『戰ひ(πόλεμος)はすべての事物の父であり、又はすべての事物の王である』(Diels, Fragmente I, S. 88)。 しかもかく爭ひ分裂するものはまた必然的に結合に歸來る、『相互に爭ひ分離せんとするものは自から結合し、そして相異れる音からして最も美しき調和が成立する、すべては爭ひによりて成立する』(Ib. S. 79)。かやうにして世界は各瞬間に於て、それ自身に於て分裂しながら再び自身へ歸來るところの統一である、卽ちそれの調和を見出す爭であり、それの飽和を見出す欠乏である。かく彼はすべての存在をば生成に於て見、そしてこの生成をば反對の統一として把捉した點に於て、矛盾の統一をば本質的構造とするところの客觀的辨證法の性質に近附いたといふことが出來るであらうが、然しこの矛盾の統一といふことの深き辨證法的意義は未だ彼に於て自覺せられてゐたといふことを得ない、生成に於ける實在の意義が生成との聯關に於て充分確立せられてゐるといふことを得ない。そして彼に於けるこの反對の結合てふ客觀的辨證法的契機がかのヅェノンの、反對そのものの止揚としての主觀的辨證法的契機と結付くことによりて、眞理又は實在の究極的把捉の仕方としてのプラトーンの深き積極的辨證法への通路を開いたものはかのソクラテースの『對話的方法』でなければならぬ。ソクラテースは周知のごとく、その懷疑をば從來の傳襲的なる認識及び道德に向ける限りに於てかのソフィスト達に一致するが、然しその積極的認識及びそれの可能に對する確信と努力とに於て彼等に一致しない。しかのみならず彼の態度は決してソフィスト達のごとく知者のそれでなくしてどこまでも愛知者のそれであつた。彼に於ては知識とは先づ自己が何ごとをも知らぬといふことの知識であつた、それの充實をば憧がれ求めるところの無知の知であつた。『自分が今自分自身からしてそれについて何ものをも考へ出してゐないといふことをば自分は確實に知つてゐる、何故ならば自分は自分の無知をば自から意識してゐるから』(Phaidros 235C)。そしてこの自己の無知の自覺にもとづく學ばんとする要求は自然的に知識が他人に於て見出さるべきであるかどうかといふ省察に彼を驅り、しかも他に問ひ試みることによりて他人もまた彼と同樣に無知であることが發見せらるるや共に相携へて眞理發見の途に上るといふ仕方をとつた。かくして彼の探究の仕方は必然的に『ディアロゴス』(διάλογος)、即ち『對話法』であり、そしてこの對話法は同時に『エイローネイア』(εἰρωνεία)即ち『反語法』であつた。トラシマコス『おー、ヘラクレスよ、それこそソクラテースのあのいつもの反語法なのだ。しかし自分は既に次のことを前以てソクラテースに言つた、君は人から訊かれた時に全く答へやうとしないで、むしろ再び反語に支へを求め、答へるよりも全く他のことをなすと』。ソクラテース『……然し知らざるものは知れるものから學ぶのが當然である。……我が尊敬する君よ、始めから何も知らず又知らないと公言するものがどうして答へが出來るか。……君は知れりと公言し又知れるところを述べ得ると公言するがゆえに、君が語ることこそ一層適當である』(Politeia 337A, D-E)。加之かれのこの方法がその形式に於てかく反語法なる對話法である點に於てかのツェノンやソフィスト等と同樣に消極的辨證法の性質を有つばかりでなく、その內容に於て客觀的辨證法への方向にあることは否定し得ない、何故ならばソクラテースのこの對話的方法はただに自他をばその無知の自覺に導くばかりでなく、この自覺にもとづきて自他の間の了解の基礎たる意見の一般的一致に眞理の表徵を見、そこに概念又は定義の確立をば目指すものであるから。『ソクラテースは考へた、人々は談論に於て最も有德に、最も幸福に且つ最も堪能になることが出來るであらう。談論(διαλέγεσθαι)といふ語は、人々が共通的商議に於て對象をば類に從ふて(κατὰ γένη)論議するといふことから來たものである。それ故に人は自からをばかく堪能にし且つこれについて第一に配慮することをば全力をあげて努力せねばならぬ』(Xenophon, Memorabilia IV. 5, 12)。卽ちかのソフィスト達が、そこに存するものは個々人に對して心理的必然性をもつて妥當するところの臆見のみであると敎へたに對して、ソクラテースは個人的表象の變易と多様とに對してすべての人が承認すべきであるところの普遍的のもの、統一的のものを求め、そしてこれをば『概念』(λόγος)に於て見出したのである。然るに概念はあらゆる人に妥當すべきであるゆへに、これは必然的に共通的思惟に於て見出されねばならぬ。かの無知の自覺が彼を驅りて他との對話に赴かしめた主要なる理由は、かれの求める概念が共通的思惟の根柢に於て發見せられる一般者であるがためであつた、卽ち對話的考察(διαλογισμός)は概念(λόγος)への通路であつた。それがためにかれの對話法はかのヅェノンやソフィスト達のやうに消極的でなくして積極的であり、單に對手の矛盾を指摘するにとどまらないで、この自他の無知の自覺の上に共通的眞理をば確立することにあつた、自他の中に不完全なる豫感として假睡してゐたところのものに對して確乎たる表現を與へることにあつた。かくしてかれの反語法としての對話法はやがて同時に所謂精神的なる『助産術』(μαιευτική)であつた。『君は産みの苦しみをしてゐる、愛するテアイテトスよ、何故ならば君は空虛でなく孕んでゐるから。……君は私が極めて有名な、元氣な産婆パイナレテの息子であることを聞いてゐないか。そして私が同じ産婆術を行ふといふことを聞いてゐないか』(Theaitetos 148E—149A)。『今私の助産術(τέχνη τῆς μαιεύσεως)については他の點では彼女と全く同様だが、その異るところは、それが男子に對して助産を行ひ、女子に對しては行はないといふこと、又それは彼等の分娩する魂に對して世話をするが肉體に對しては行はないといふことである』(Ib. S. 150 B)。『……神は私をば助産を行ふやうに強ひたが、しかし神は私が産出することをば許さなかつた。それゆえに私自からは決して賢者ではない、私は私自身の魂の出産物として示さるべき何等そのやうなものを有たぬ。しかし私と交際する人々は、なるほど始めは幾分極めて無知なることを示すが、しかしその後引續いての交際に於て、神がそを許すところのすべての人は驚くべき速やかなる進歩をなす、そしてこれは明らかに、曾て或ることをば私から學んだのでなくして、却つてただ彼等が自己自身からして多くの美しきものをば自から發見し、それをば確保したに過ぎぬ』(Ib. 150C-D)。即ち概念は實際作爲せらるべきものでなく、それは發見せらるべきものである。概念は既にそこに存在する、それはただそれが包まれてゐる個々の經驗及び臆見の包被からして分娩せられることを要するのみである。ソクラテースに於ては産出と發見とは同一である、そしてこの發見は自他の無知の自覺にその基礎を有つ。そしてここにかれの助産的方法が辨證法的意味に於ける『歸納法』(ἐπαγωγή) として特徴付けらるべき理由が存するのである。かやうにしてソクラテースの對話的方法は、それが反語法として自他を無知の自覺に導く點に於て、それは主觀的なる消極的辨證法であるとともに、それが同時にこの無知の自覺の上に共同的思惟に於て概念又は定義の發見確立が實現せらるべきである點に於て、かの客觀的なる積極的辨證法の領域に入つたものといふことが出來るであらう。然しながらソクラテースのこの辨證法的なる歸納的方法が、なほ單に事實の比較からして普遍的概念の確立に向つて努力することが學の課題であることをば主張するのみであつて、普遍化についての用心と概念構成の方法的周到さを欠いでゐたことは一般に認められてゐるごとくである。卽ちソクラテースは普遍的なるものをば個々人の臆見及び知覺からして歸納的に展開し、またはこの普遍をばこれ等臆見及び知覺の中に共通的內容として見出したのであるが、然しこの普遍的のもの、共通的のもの、卽ち類概念の內容は決してかやうに臆見や知覺の中に部分として含まれてゐるものではなくして、この知覺され得る現實とは異りたる、獨立的に成立するところの第二の現實でなければならぬ、卽ちこの普遍的なるものは單なる共通的思惟内容としての、卽ち論理的存在としての概念ではなくして、それ自らまた價値的實在でなければならぬ。概念が共通的思惟の内容としてどこまでも眞理の根據であるためには、それは、單に特殊に對する普遍であり、雜多に對する統一であるのみではなく、それは眞實なる存在(ὄντως ὄν)として知覺や臆見に對して理想となり、現實に對して價値となることが出來るものでなければならぬ。そしてこのやうな意味に於ける概念は決して單なる知覺の分析によつて見出されることを得ない、これに對しては獨自的なる綜合的洞察力を必要とする、卽ち眞の歸納(ἐπαγωγή)はやがて眞の綜合(συναγωγή)でなければならぬ。そしてかかる綜合的洞察力卽ち綜觀(σύνοψις)を通じて眞なる存在としての概念、卽ち『イデア』(ἰδέα)を把捉することがやがてプラトーンの所謂『辨證法』(διαλεκτική)であつたのである。(Politeia 537C-E)。

プラトーンの辨證法はかやうにしてソクラテースの對話法に於ける反語法と歸納法、換言すればヅェノン及びソフィストに由來するところの消極的辨證法的契機とソクラテースよりヘラクレイトスに溯り得る積極的辨證法的契機との結合である。ソクラテースに於てはこれ等二つの契機は未だ充分內的に結合せられず、卽ち無知の自覺にもとづく概念の歸納的把捉はそれがどこまでも共通的思惟に於ける一般性にとどまる限り、それは思惟の形式論理的或はまた存在論的基底付けとなることは出來ても、思惟の認識論的基礎付けとなることは出來ぬ。思惟が存在の思惟であると共に、それが同時に眞理の思惟であり得るためには、概念それ自からが前述のごとく眞の存在として自己自からを辯明せねばならぬ。眞理は單なる存在に於ても、また單なる概念に於ても成立するのでなくして、存在としての概念の自已辯明に於て成立する。しかも單なる直觀に於ては辯明は全うせられないゆえに、思惟はそれ自からに歸り行き、自己自からをば辯明者となさねばならぬ、そしてかやうにして思惟は必然的に自己自からに於て對話的とならねばならぬ。そして思惟がかく對話的となると共に卽ち『モノロゴス』が『ディアロゴス』となると共に、『ロギケー』(λογική)卽ち論理學は『ディアレクティケー』(διαλεκτική)卽ち辨證法となるのである。そしてここにプラトーンの對話法がソクラテースのそれに比して一層深き自覺的意義を有つ理由が存するのである。元來對話法卽ち『ディアロゴス』(διάλογος)とは周知のごとく『ディアレゲスタイ』(διαλέγεσθαι)卽ち『互に對立して語り合ふ』ところの方法といふことを意味するものであつて、これに對しては、その語義の示すやうに、相對立するところの對手と、互に語り合ふところの言葉とを必要とする。　今かの『文字』(γραφή)もまた『言葉』(λόγος)と同樣に『或ることをば語り且つ了解する』と信ぜられてゐるが、然し文字の語るところのものにつきて問はれた場合『それは常にただ同一のことを示す』のみであり、從つてそれが不正に取扱はれ又は不當に侮辱された場合にそれは『自己をば防衛することも辯護することも出來ぬ』に反し、言葉は『生けるものの魂の中に洞察をもつて書かれたもの、事情に應じて自からを辯護し得るもの、又語つたり默したりすることを知るもの』である。(Phaidros 275:D—276A)。　從つてこの對話に於て豫想せられる對手は必ずしも人間的存在者であることを要しないで、むしろ思惟し語るところの魂自からであることが出來る、卽ち『魂が思惟する限りそは自巳と談論すること以外の何ものをもなさぬ、何故ならば魂は自已自から答へ、肯定し、または否定するから。……それゆえに思惟するとは語ることであり、思念とは語られたる談話、しかもそれは他に對し聲をもつて語られた談話ではなくして、沈默して自已自からに對して語られた談話である』(Theaitetos 189E—190A)。　かくして『思惟(διάνοια)と談話(λόγος)とは同一である、ただ魂の内部に於て自己自からに對して、しかも聲なくして行はれる對話が吾々からして思惟と稱せられるのである』(Sophistes 263E)。そしてかやうに思惟が魂の自己對話であることはやがてまた思惟自からに於ける自己對立性自己否定性を表はすものでなければならぬ、何故ならば思惟卽ち διάνοια はかのコーヘンの解するやうに、その語幹が思惟の根本意味を表はしてゐる間に、その前綴 διά は『に對して』(Gegen)と『を通して』(Durch)との意味をもつてゐる、卽ち思惟は自己に於ける對立運動に於て、戰ひに於て起る、それは自己自からを超え、それの根柢たる諸前提を超えて進み行かねばならぬからである。かくして思惟の自己對話としての辨證法の本質は決して單なる對話的樣式の外貌に存するのではなくして、それがどこまでも『思想の浪立つ戰ひ』(Wogenkampf der Gedanken)を、卽ち『ディアノイアの對峙と遂行』(das Gegeneinander und die Durchführung der διάνοια)をば反映してゐるところに存しなければならぬ。(Cohen, Logik S. 21)。そしてここにプラトーンの對話法としての辨證法が一方ソフィスト達の『雄辯法』(ῥητορική)や『論爭法』(ἐριστική)と異ると共に、ソクラテースの對話法に於ける思惟そのものの本質にもとづく客觀的辨證法的契機が一層自覺的に深められてゐるのを見るのである。

思惟卽ちディアノイアのかかる對立性、否定性はまた同時に思惟の目指すところのもの、卽ち概念そのものの性質をば特徴付けるものでなければならぬ。かのソクラテースに於ては、思惟の對象は臆見の根底に於ける一般的なるもの、共通的なるもの、從つてこれは『類による分析』(τὸ κατὰ γένη διαιρεῖσθαι)(Sophistes 253D)を通じて獲得せらるべき『形相』(εἶδος)としての概念であつたが、然しプラトーンに於て眞にディアノイアの對象たるべきものは、かかる單なる論理的一般的者又は共通的者としての形相にとどまらないで、これはどこまでも同時にあらゆる臆見に對して規準となり、あらゆる特殊的個別的なるものに對して意義と實在性とを與ふべき原型としての『イデア』(ἰδέα)でなければならぬ。プラトーンのイデアが決してかのソフィスト達に於けるやうな單なる主觀的表象でもなく、又論理的形相としてのソクラテース的概念でもなくして、このソクラテス的概念がかのエレア派の存在と結付いた深き形而上學的意義を有つてゐることは一般に認められてゐることである。然しながらこれとともに、プラトーンのイデアはソクラテース的概念普遍がそのまま形而上學的に實體化されたものと見做されることを得ないのも勿論である、若し然らざればかれのイデアはかのコーヘンのいふやうに『ソクラテース的存在へ移つたエレア主義』、從つて全く『獨斷論の實體』に過ぎず、かれがソクラテースやエレア派に對する獨自的意義はなくなつてしまうであらうから。(Cohen, Plat. Ideenl. u. Math., S. 8, 9)。 イデアのイデアたるところはそれが單に論理的なる形相(εἶδος)にとどまらないで、存在する存在として實體(οὐσία)であると同時に眞なる存在(ὄντως ὄν)として價値的存在であるところに存する、存在根據が直ちに論理的根據として眞理性を荷ふところに存する。 吾々はイデアの規範的性格を認めないでは決してイデアの獨自的本質をば把提することを得ないであらう。 然しながらこれがためにまたイデアをば主として價値論的にのみ理解し、それにまで何等存在性が屬しないで唯だ『妥當』(Gelten)のみが歸屬する純粹價値的なるものとなすところの、換言すれば『眞理の妥當(Geltung der Wahrheit)以外の何ものもプラトーンは教へなかつた、そしてこれこそ理念の、永久に自己自から同一的に殘るところの意義である』(Lotze, Logik S. 531)、從つてまた理念に對して決して『存在の現實性』(Wirklichkeit des Seins)が歸屬しないで『妥當の現實性』(Wirklichkeit der Geltung)のみが歸屬する(Ib. S. 514)となすロッチェの解釋も、かのウィンデルバンドの指摘したやうに、假令それが『カントによりて規定された近代的認識論的思惟にとつては勿論尤もなことであるし又プラトーン的主張をば永く支持すべき唯一の可能性を含んでゐる』としても、しかもそれが『歴史的プラトーン主義から全く離れてゐるところの改釋である』といふことをも拒否することを得ない、眞の存在としてのイデアが一面に於て形而上學的實在性を有つてゐるといふことは、それが感性的なる物質的存在でないと同樣に明らかである。(Windelband, Lehrbuch d. Gesch. d. Phil. s. 97—8)。

今若しかやうにしてプラトーンのイデアにして、それが單なるソクラテース的概念でも、パルメニデース的存在でも、ロッチェ的妥當者でもないとするならば、それが本來的に要求すべき獨自的本質は如何なるものであらうか。プラトーン的イデアがそれ等に對して區別せらるべき獨自的意義は實に彼等の單なる外面的結合ではなくして、それの內面的透徹、換言すれば、概念が自己自から辯明を與へ、自己自からを基礎付けることが、直ちにまた眞なる存在を意味し、且つ保證するといふことに存する、思惟が存在であり、生產が直ちに所產であり、價値が直ちに實在であるところに存する。そして實在性と妥當性との內面的透徹としての概念のかかる自己辯明・自己基礎付けこそ後に一層詳細に規定せらるるやうに、プラトーンが『假定』(ὑπόθεσις)として特徵付けたイデアの深い意義でなければならぬ。　イデアが單に論理的意義並びに形而上學的意義のみならず、深い方法論的意義を有ち、あらゆる認識、あらゆる存在をば基礎付け得るのは實にこの『假定』としてのイデアの本質に存すると思ふ。そしてかのマールブルグ學派、殊にコーヘンによりて創唱せられ、ナートルプ及びニコライ・ハルトマン等によりて繼承發展せられたプラトーン解釋の深き意義は實にここにあつたのである。(Cohen, Logik der reinen Erkenntnis, Platons Ideenlehre und Mathematik; Natorp, Pltos Idsenlhre; N. Hartmann, Platos Logik des Seins)。然しながらかくのごとき假定としてのイデアの本質は果して何處から由來したのであるか。これは一般に對象の性質が方法の性質と不可分離的關係を有つやうに、イデアの體系的認識としての辨證法の假定的性格にもとづくものでなければならぬ。かくして吾々の問題は、ここに再びプラトーンに於けるイデアの認識の方法の性質についての考察に歸らなければならぬ。

二

先づ一般にイデアは如何なる意味に於て思惟の對象とせられ得るのであるか。今イデアはそれの究極的本質の一面としてどこまでも思惟から獨立せる『實體』

(οὐσία) と考へられるのであるが、しかしこれは前にも述べたやうに、イデアがかの感性を介して思惟によつて保證せられる存在の彼岸に絶對的に超存する、といふことであり得ないのはいふまでもない、若し然らざれば、前に指摘されたやうに、イデアは全然獨斷論の實體に墮するのみならず、また事物の感性的世界の彼岸に、しかもそれの事物に一々執拗に相對應して、抽象的類概念が存することとなり、かくしてかの『パルメニデース篇』に於て『そこでソクラテースよ、誰れでもエイドス(εἶδος)をばそれ自體に存在するものとして主張する場合に、如何ばかり困難の大であるかを見るであらう。……君が各個のものに對して常に別々にエイドスを打建てんと欲するならば如何に困難が大であるかといふことについて、忌憚なくいへば、君は全然觸れてゐない』(Parmenides 133A)とパルメニデースをして言はしめてゐるやうに、大なる困難に陷るであらう。 然しながらまたこれがためにイデアはそれが主觀的側面に於て『可思的者』(νοητόν)又は『思惟されたもの』(νόημα)として思惟に於て成立することのために、思惟によりて制約せられ、思惟によりて產出せられたものと斷ずることをも得ないであらう、これに於てはイデアが可思的者であり、思惟されたものであるといふことの意義が先づ明らかにせらるべき問題であるからである。即ちかの『パルメニデース篇』に於て『エイドスの各は魂に於て以外の他の場所に屬しないところの思惟されたもの(νόημα)に過ぎないかどうか』(Parmenidos 132B) と問はれてゐるやうに、假令エイドスがかく『魂に於て思惟されたもの』(νόημα ἐν ψυχαῖς)として考へ得るとしても、それが主觀的に思惟に於て、思惟によつて成立するといふやうなものであるを得ない。プラトーンにとつては、すべて純粹思惟に於て認識されたものはかかるものとして眞の存在を表はしてゐたのであり、そしてかかる純粹思惟の途に於て自からを顯はにするものがやがてイデアである。即ちイデアは直定的に思惟せられるのであつて、決して知覺に依存するものでない限りに於て、それは『眞實の存在』(ὄντως ὄν) たるのである、又はそれは『思惟されたもの』(νόημα)として『實體』(οὐσία)の價値を有つのである。かくして思惟によるイデアの被制約性は、かのコーヘンの解するやうに『存在者のイデアをば理性的方法で(διὰ λογισμῶν)取扱ふことを常とする』(Sophsites 254A)ところの人によりてのみ眞の存在は認識され得る、といふことに存しなければならぬ。そしてここにイデアの先天性と超越性とともにそれの先驗性と觀念性とが存するのである。かくイデアが先天性、超越性とともに先驗性、觀念性を有ち得るといふことは、またイデアてふ言葉の語原的意義からしても明かであるであらう。即ち ἰδέα は ἰδεῖν 即ち見る(Sehen)といふ動詞から來たもので本來觀え(Aussehen)形態(Gestalt)を意味するものである、卽ちイデアとは見ること、又は觀照そのものが、觀照の對象と次第に融合することによつて出來たところの『觀念論的に制約されたる實體的存在』(idealistisch bedingte substantielle οὐσία) に外ならないと考へ得るであらう。(Cohen, Plat. Ideenl. u. Math. s. 11. 12)。然しここにいふ『觀照』(ἰδεῖν)とは素より決して單に感性的に外物をば眺めることではない、單に外物のみを眺めるものは決して存在をば觀照しないであらう。ここにいふ觀照とは、感性的者から機緣付けられはするが、しかもそれ自から非感性的なる觀照である、又は自然そのものの中には存しないところのものをば可思的者として生せしめるところの觀照である、換言すれば『それによつてのみ眞理が見られる』(ᾧ αὐτῷ ἀλήθεια ὁρᾶται)(Politeia 527E) ところのものとしての觀照であるのはいふまでもない。 そしてイデアのかかる觀念論的被制約性はむしろ『眞實の存在』(ὄντως ὄν)としてのイデアの妥當價値をば始めて基礎付けるものであり、そしてこの眞實の存在といふことを通じて『イデアの存在』(εἶναι ἰδέας)は『存在者の存在』(εἶναι ὄντων)から種別的に區別せられるのである。 然しながらここになほ問はれねばならぬことは、かかるイデアの觀照は、かの感性的觀照に對して如何なる意味に於て可能なるか、又かやうにイデアの觀照をば眞の存在者の認識として保證するものは何であるか、イデアの觀念性が同時に實在性に於て確保せられるのは如何なる根據によるのであるか、といふことである。そしてこれは明らかにイデアの觀照そのものの本質をばかの感性的觀照との聯關に於て一層嚴密に規定することによりて解かるべきであらう。プラトーンによれば元來吾々の知覺(αἴσθησις)は區別せらるべき二側面を有つてゐる、卽ち一方は『それが知覺によりて既に充分規定せられるがゆえに考察にまで全然思惟力(νόησις)をば呼び寄せないもの』であり、そして他方はこれに反して『その際知覺では何等充分なものをもたらさないゆえに、考察に於てどこまでも思惟力を呼び寄せるもの』である。(Politeia 523A-B)。卽ち知覺それ自身の中にはかやうに『思惟を呼びよせるもの』(παρακλητικὰ τῆς διανοίας)又は『思惟を目醒めしめるもの』(ἐγερτικὰ νοήσεως)が存在し(Ib. 524 D. 523 D.)そしてこれによつて『可視的者』(ὁρατὸν)に對して『可思的者』(νοητὸν)が可能となり(Ib. 524 C)、かくして純粹思惟の判斷が成立し得る通路が開かれるのである。然しながらかやうに知覺に於て呼びよせられ、目醒めしめられる思惟そのものはもとより知覺の中に存することを得ない、卽ち知覺はこの異つた種類の認識に對する衝動をば包含するにしても、しかし知覺そのものは決してかかる可思的者をば觀照することを得ない、むしろ『もし吾々にして或るものをば純粹に認識しやうとする場合には、吾々はどこまでもそれから自由になり、そして魂そのものをもつて、事物そのものを觀照せねばならぬ』(Phaidon 66 E)、ただ知覺に於けるかかる衝動を通じ、知覺の觀照を機緣として可思的者が觀られるのである。 然しかやうに知覺の內容から異つてをり、又知覺の內容の中に與へられないところの可思的者の內容が觀られるためには、この可思的者の內容は他の何處からか旣に知覺以外の何等かの仕方で思惟に與へられてをり、これが思惟によつて再認識せられるのでなければならぬ、換言すれで魂がすべての知覺活動から獨立して、以前に所有していたものをば知覺の觀照により誘發せられて再び回復することがこの可思的者の認識でなければならぬ、かくしてプラトンはかかる可思的者の再認識をば『想起』(ἀνάμνησις)として特徵付けたのである。 プラトーンはこの想起について次のやふにいふ、『決して眞理を見てゐなかつたところの魂は、決してこの人間の形態をとることを得ないであらう、何故ならば、人間は本質(εἶδος)に從ふて表はされたものをば、悟性により多くの知覺が統一へ連結されたものとして理解せねばならぬから。 そしてかかる理解はやがて吾々の魂が嘗て觀たところのものの想起(ἀνάμνησις)に外ならないのである』(Phaidros 249 B-C)。それゆえに『すべての人間の魂はそれの本性上、存在者をば直觀してゐたのである、もし然らざればそれは決してかかる生活形態へ入り來らなかつたであらう。 然るに地上のものに於て天上のものを想起することは、天上のものをばほんの少こししか見ていなかつたものにも、また彼等が地上へ落ちて來た後で何か交際のために不正へ導かれ、又以前に直觀した聖なるものを忘却するやうな不幸に立ち至つたものにも容易でない、ただ想起の充分强い少數のもののみが後に殘るのである』(Ib. 249E—250A)。然しながらここに問はれねばならぬことは、かかる想起は吾々に對して如何なる根據に於て可能であるか、想起はかやうに必然的に『前知』(προϊδεῖν)を豫想するのであるが、かかる前知は如何なる意味に於て可能であり、又この前知されたものが吾々から一度忘却せられ、再び想起されるといふ必然性は何處に存するのであらうか、といふことである。 先づプラトーンは一般にこの想起の可能であることをば吾々に於ける『探求』(ζητεῖν)又は『學習』(μανθάνειν)の必然的條件として想定する、卽ち『人間はかれが知ることをも、またかれが知らぬことをも、探求する(ζητεῖν)ことを得ない、まづ人はかれが知るものを探求することを得ない、これかれはそれをば全く知つてゐるから、又かれはその知らぬところのものをも探求するを得ない、これかれは何をかれが求むべきかを知つてゐないから』(Menon 80 E)。それゆへに若し吾々の探求又は學習にして充分の意義と必然性とを有つべきであるならば、しかも吾々は、全く知れることも、また知らざることをも探求又は學習し得ないとするならば、吾々はただ、今知らざる、しかし曾て知つてゐたところのもののみを探求又は學習することが出來るであらう、即ち探求又は學習は今忘却せる、しかも曾て知つてゐたところのものをば想ひ起すといふことに於てのみ可能として意義を有ち得るであらう。然しながらこの場合曾て知つてゐたといふこと、卽ち前知は如何なる意味に於て保證せられ、且つ實現せられ得るであらうか。プラトンはこの前知の可能とそれの實現の根據をば吾々の『魂の不死』(ἀθανασία ψυχῆς)といふことに求めた。プラトンに從へば『すべての魂は不死(ἀθάνατος)である、何故ならば斷へず自己自身からして動かされるものは不死であるから。……自己自から動くところのものは決して自己自らを放棄しないゆえにまた自から動かされることをも止めない、むしろ動かされるすべての他のものに對して運動の源且つ始め（πηγὴ καὶ ἀρχή）である。然るに始めなるものは決して生ぜらしめられない、これすべて生ずるものは始めから生ぜねばならぬ、しかも始めそのものは何ものからも生ぜられないから、といふのは、若し始めが或るものから生ずるならば、もはや何ものも始めから生じないであらうから。然るに始めはかく生ぜられないゆえに、それは必然的にまた不滅でなければならぬ、若し始めが滅するならばそは或る他のものから生ずることもまた或る他のものがこれから生ずることも出來ぬであらう、すべては始めから生ずべき筈だからである。……かやうにして若し魂以外の何ものも自己自から動くものでないならば、魂はまた必然的に不生且つ不死（ἀγένητον καὶ ἀθάνατον）でなければならぬ』（Phaidros 245 C-246A）。　卽ち魂のみが自から動くものであり、自から動くもののみが始めであり、始めはそれが始めであることのために他から生ぜしめられず、他から生ぜしめられないものは不死であるがゆえに、魂は必然的に不死でなければならぬ。かやうにして『魂は不死であり、そして幾度も生れかはつたものであり、そしてこの世のことも彼の世のこともすべて見て來たものであるゆえに、それが經驗しなかつたものは何もない、それゆえに魂が德につき又すべて他のものにつきてそれが曾て知つてゐたところのものを想起し得るとしても、それは毫も驚くに足りぬのである、何故ならば全自然は相互に聯關を有ち、そして魂はすべてを所有してゐたゆえに、ただ一事を想起する人は、若しかれに勇氣があり、且つ探求に倦まないならば、他の一切を自から發見する――人はこれを學習といふのであるが――といふことに何の妨げもないから』（Meno 81C-E）。

然しながら以上のごとく一方に於て可視的者は可思的者の言はば模像であり、從つて知覺はその原像の觀照としての思惟をば呼び寄せるもの、目醒ましめるものを含むがゆえに、そして他方に於て、魂はそれの不死のゆえに前世に於てまのあたりかの原像をば觀照してゐたがために、かの知覺の觀照に機緣付けられて可思的者をば觀照するといふ想起が可能となる、といふのであるが、しかしこのやうな想起の概念がより多く神話的であつて論理的でなく、形而上學的であつて先驗的でないことは拒否することを得ないであらう。吾々はこの想起の概念の有つ深き獨創的意義をは眞なる認識の成立といふことに聯關して如何やうに論理的、方法的に理解すべきであるか。吾々は今一度かの可視的者と可思的者、知覺と思惟との關係を通じて想起の概念の意義をば反省して見なければならゝぬ。先づ上述のごとき想起の概念は、そこに事物の單一存在に於ける根源よりも異つた根源を有つところの知識が存在せねばならぬといふこと、そしてかかる知識に於て眞の認識は基礎付けらるべきであるといふこと、しかもこの眞の認識の根據は決して知覺を通じて外界に存するのではなくして、意識が自己自身からして汲み來るものの中に存すべきであるといふことを豫想する、卽ちこの想起による知識として『エピステーメ』(ἐπιστήμη)は、學ぶところのものが自己自身から汲み來るところの知識であり、その限りに於てそれはやがて『自己についての知識』(ἐπιστήμη ἑαυτοῦ)であらねばならぬ。『それゆえに誰かが彼に敎へるのではなくして却つて單に質問によつて彼は知るであらう、卽ち彼は自己から(ἐξ αὑτοῦ)のみ認識を獲得する』であらう。さてかやうに自分で自己から認識をばとり來ることは想起する(ἀναμιμνήσκεσθαι)と言はぬであらうか』(Menon 85 D)。そしてこのやうな自己からとり來られた自己の知識はやがてプラトーンに於て『ソプロシュネ』(σωφροσύνη)、卽ち思慮又は自己省察として特徴付けられた知識であつて、『このソプロシュネのみが他の知識の知識且つ自己自身の知識であり』(Charmides 166 C)、想起とは實にかかる知識に於てのみ實現せられることが出來るのである。かくしてかの原像としてのイデアの想起とは自己が自己自からをば反省することによりて自己自からの本質をば自覺することである、イデアの世界は既述のごとく決して自己の外に超存する實體の世界ではなくして、自己の中に斷へず自からを實現しつゝある自己の本質の世界でなければならぬ。しかしこのイデアとしての自己の本質は決して單に自己の根柢として與へられてゐるのではなくして、自己を根柢付けるものとして要求せられてゐるものである、單なる存在でなくして、魂の目指す生ける課題であり、觀照の超越的對象でなくして觀照の統一の實行そのものでなければならぬ。それゆえにイデアの觀照は常にかくのごとき自己省察としてのソプロシュネの地盤に於て行はれ、從つてそれは必然的に自覺的形態をとる、それは決して受動的に、與へられたる對象をば直觀することではなくして、それは何かを成就するところのものである、それは統一の觀照にして同時に觀照の統一である、即ち『散らばれるものをば直觀的に一つの形相へ總括すること』(Phaidros 265 D)である。そしてかゝる綜觀によつてイデアは個々物がそれによつて統一的に概念せられるところの思惟手段となる。イデアの常恒性はかかる能動性そのものの統一的性格に存しなければならぬ。そしてかやうにイデアをば動的に見、これをば單なる存在でなくして存在の課題又は課題の存在として、また單に基礎付けられたものでないとともに基礎でもなく、基礎付けそのものとして見る見方をばプラトーンは『假定』(ὑπόθεσις)として特徴付けたのである、何故ならば假定卽ちὑπόθεσιςとは『下へ(ὑπο-)置くこと(θέσις)』『基礎を置くこと』卽ち『基礎付け』をば意味するから。かくてイデアの想起とは事物の根據をばそれの知覺に於てでなくして純粹なる思惟そのものに於て、自己そのものの知識に於て、卽ちソプロシュネに於て見ることである、しかもこの自己そのものの知識は前述のごとく決して自己に於て基礎として存在するものについての知識ではなくして、どこまでも自己に於けるあらゆる對象の基礎付けそのものの知識である、卽ち假定そのものの知識でなければならぬ。プラトーンに於けるイデアの體系的認識をば辨證法として成立せしめるものは實にかかる假定としてのイデアの性格に存するといふことが出來ると思ふ。

三

然しながらイデア及びイデアの認識をかく動的なる、自覺的なる本質に於て、卽ち單に存在論的にのみならず同時に方法論的に、假定として、基礎付けとして把捉することは、マールブルグ學派的解釋として、必ずしも歷史的プラトーンの解釋に對して妥當でないと考へ得られるであらうし又かやうに把捉することの可能なるは、プラトーンの全盛期以後の對話篇に於てであつて、その初期の對話篇に於てはイデアが主としてソクラテース的なる類概念又はそれの實體化として語られてゐることは言ふまでもない、從つてまたかの『假定』(ὑπόθεσις)の動機もプラトーンに於ては必ずしもイデアに聯關して始めて現はれて來たのではなく、獨立的にその普通の意味に從ふて多くの場合用ひられてゐるのは勿論である。實際かれの初期の對話篇に於ける假定の概念はかれの全盛期以後に於けるこの概念の發展から本質的に區別せらるべきであり、前者が後者に於けるやうに深き論理的內實を有つてゐないといふことをば拒否することを得ない。卽ちこの假定の概念はそれがイデアの本質に關係せしめられてその深き本來的意義に於て考へられる以前、先づ普通の意味に於ける假定、卽ち單なる『想定』(Annahme)又は『前提』(Voraussetzung)といふやうな意味に於て用ひられてゐるのであつて、それがイデアの體系的認識の仕方たる辨證法の必然的本質にまで發展せられてゐるのは特にかの『パイドン篇』、『ポリテイア篇』、『パルメニデース篇』等に於てでなければならぬ。しかしこれにかかはらず、かの初期の對話篇に於けるかかる假定の概念も、全盛期以後のそれに於ける假定の概念のより深き意義の前階段としてそれの意義を認めることが出來るであらう。 例へばかの『プロタゴラス篇』に於ては『知慧と思慮と勇氣と正義と敬虔、これ等はただ唯一の事柄に對する五つの名稱に過ぎぬかどうか、又これ等の名稱の各に對してある獨自なる本質(τις ἴδιος οὐσία)がその根柢に横はつてゐる(ὑπόκειται)かどうか……といふことが問題であつたと信ずる』(Protagoras 349 B)と言つてゐる。 卽ちこれに於て獨自的らる本質卽ち τις ἴδιος οὐσία はより多くイデア(ἰδέα)の思想に屬し、そして根柢に横たはつている、卽ち ὑπόκειται は、より多く假定(ὑπόθεσις)に屬するものであることは容易く想像せられ得るのであらう。 然しこの根柢に横たはるといふことと、獨立的なる本質との結合はここではなを一つの根本問題の二つの相異れる問題の抽象的結合であつて、これが動的に反省せられた場合、それは根柢を横へるものとしての獨自的本質といふ意味に於て、始めて基礎付けそのものとしてのイデアの眞の意義をば實現することを得るのである。 次に同じく初期に屬するかの『カルミデス篇』に於ては、この假定といふ語は、探められたる概念に關する一つの『想定』(Annahme)として用ひられてゐる、しかもこの想定は、それにつき未だ全然それの正當性は主張せられないで、却つてそれはこの想定から結果するところの結論に於て、なほそれ以上の、より正當なる想定をば得るためにのみ打建てられる、といふ意味の假定に外ならない。『思慮深くあることは、自己のことをなすこと(τὸ τὰ ἑαυτοῦ πράττειν)であると想定してゐる(ὑποθέμενος)ところの人にとつて、かれが後に再び、他人のことをなすところの人もまた思慮深くあり得るといふことは毫も妨げないといふ場合に、それは差支へないかどうか(Charmids 163 A)。『吾々が始めに想定する(ὑπετιθέμεθα)やうに、若し思慮深き人にして、かれが何を知るか又何を知らぬかを知り、又かれがそのことを知るといふことと又そのことを知らぬといふことをも知るならば……思慮深くあるといふことは最も有益であると主張するであらう』(Ib. 171 D)。卽ちこれに於ては假定はなほ探求の進行に對する暫有的手段として用ひられてゐるに過ぎぬ、從つてこの想定としての假定の方法的價値は、單に想定されたものとそれの歸結との間に現はれて來る聯關のみに存する。想定されたものが根據として又は根據付けとして置かれたものであるといふ假定の獨自的意義はこれに於ては未だ自覺されてゐない、『根柢に』(ὑπο-)といふことの本質的意味はここではまだ論理的意識にまで到達してゐない。そしてかかる假定の本來的意義が始めて意識されるに至つたのはかの『パイドン篇』に於ける假定の大なる方法的深化に於てであらう。然しこれに至るまでに、吾々はなほかかる假定の意味に達すべき一つの豫備段階をばかの過渡期に屬する『メノン篇』に於て見出すことを得るであらう。これに於ても最初この假定はかの『カルミデス篇』の場合と類似して、なほそれから導かるべき『前提』を意味するに過なかかつた、しかも假定の本質への觀入の漸次的深化は、假定をば方法としてそれの學的意義に於て認識せしめる。卽ちここにいふ前提とは、それについて人が何等確實なものを知つてゐないところの或るものに關係する、卽ち探めらるべき或るものについて規定するために、それの必然的方法的手段として他の或ることをば想定し、これによつてその或るものの本性を明らかにしやうとすることである。然しながら何等確實なものをそれについて知つてゐないものに關してあることを前提することはどうして可能であるか、前提とは全く氣隨的のものであるか、それとも合法則的のものであるか、若も後者であるならば何故にそれは前提であつて完全に妥當する定立でないか。プラトーンはこの『メノン篇』に於て次のやうにいふ、『それゆえに吾々がなほそれが何であるかを知らぬところの或るものが、どんな性質のものであるかを吾々は考察せねばならぬやうに見える。だからして……徳が學び得べきものであるか、それとも何か他のものであるかどうかをば一つの前提から(ἐξ ὑποθέσεως)考察することをば許してもらひたい。ところでこの一つの前提からといふことをば私はかの幾何學者達が、誰か彼等に對して、例へば、一つの圖形につきて、この圓の中にこの三角形をば含めることが可能であるかどうか、といふ問題を提出した場合にしばしば考察するやうな仕方を意味する。……そのやうに吾々はまた徳に關しても、吾々が徳の何たるか、それがどんな性質のものであるかを知らぬゆえに、前提をばつくつて、徳が敎へ得べきか又は敎へ得べからざるかを考察する、これ吾々は、若し徳にして敎へ得べきであるならば、又は敎へ得べきでないならばそれは吾々の精神にあらはれて來るものとして如何なるものであるかといふことを考察しやうと思ふからである』(Menon 86 D—87B)。即ちこれに於ては前提は決して單なる氣隨でも、又は完全に妥當する定立でもなく、それはどこまでも『考察』(σκοπεῖν)又は『探求』(ζητεῖν)のための必然的手段である、從つてこの考察又は探求に於て豫料が可能となる、これ探求は前提をつくるといふ途に於て起り、そして前提は必然的に豫料の可能を豫想するからである。　そしてかやうに探求に於て豫料を可能ならしむべき前提はかの探求に於ける基礎付けそのものとしての假定の意義への接近をば示すものでなければならぬ。卽ち吾々はそこに未だ何等の仕方に於ても確立されてゐないところの、又それに對して吾々はなほ何等特定のことをば言表はすことを得ないところの或るものが根柢に横へられ得るといふやうな、言はば問題の內實へのより深き透徹に對する有效なる手段としての哲學的方法的意味が指示されてゐるのを見ることが出來る。然しながらこの『メノン篇』に於ては、かく前提されたものの確實性が如何にして成立するかはなほ示されてゐない。前提はよし何等氣隨でも又完全に妥當する定立でもないにしても、しかもなほそれに從つて前提が選擇せられるやうな獨自的なる規範又は合法則性をば要求する、眞の前提は探求に對する單なる手段ではなくして、却つて同時に目的そのものと同一なるものでなければならぬ、卽ち體系的意味に於てすべての思惟・の思惟根據、從つてすべての存在の存在根據であらねばならぬ、そしてかかる前提の意義こそかの假定の獨自的本質でなければならぬ。かの『パインドン篇』及び『ポリテイア篇』に於て發展せられたる假定はかくのごとき深き方法的並びに形而上學的意義を有つものでなければならぬ。

先ず吾々は『パイドン篇』に於てこの『假定』(ὑπόθεσις)に關して二つの重要なる箇所を引例することが出來るであらう。『私は、存在者をば理性根據(λόγος)に於て考察するところの人は、事物(ἔργα)に於て考察するところの人よりも、より多く寫し繪(εἰκός)に於て考察してゐるとは決して認めることを得ない。それで私はこういふ風なやり方をとつて來たのである、卽ち私はいつでも私が最も强固(ἐρρωμενέστατον)だと判斷する(κρίνω)ところの理性根據をば假定する(ὑποθέμενος)間にこれに一致すると思はれるものは、根據について論ぜられてゐる場合でも、その他のものについて論ぜられてゐる場合でも、これをば眞(ἀληθῆ)として定め、然るにそれと一致しないところのものは眞でない(οὐκ ἀληθῆ)として定める。……　つまり私はこれまで私がたづさはつて來たところの根據の本質(τῆς αἰτίας τὸ εἶδος)をば示さうと試みてゐるのである、そして再びかの論じ盡されたことがらに立ち歸つて、そしてそこに美自體、善、大さ、及びその他のものが存在するといふことをば私は假定する、といふことから始める、そしてこれ等が存在するといふことをば若し君が私に同意し、認容するならばその時私はここからしてかの根據をば君に示し、そして魂が不死であることを證示したいと思ふ』(Phaidon 100 A—B)。『若し或る人がこの假定(ὑπόθεσις)によつて自からを支持するならば、君はこの假定からして何が導出されるかを考察するまでは、その人を認容しもせねば、またそれが一致するか、一致しないかどうかについて、それ以前
ならば、君はこの假定からして導出さ
(ὑπόθεσις) を攻撃して來たれるものが互に一致調和するかしないそしてその時若し君がその假定自からにつ
かを考察するまでは、そのまま放つて置いてそれに答へるやうなことはないであらう。
いて理性根據を與へねばならぬならば、君はこの理性根據をば同様の仕方に於て、更に他の假定をば假定しながら (ἄλλην αὖ ὑπόθεσιν ὑποθέμενος) 與へるであらう、そしてこの假定は君に對して、更にその上の假定の中で最上のもの (βελτίστη) と見へるものであり、かくして君は終に或る充足的のもの(τι ἱκανός)に到達するであらう』(Ib. 101 D)。この二つの引例に於て先づ第一に注意せられねばならぬことは、假定の動機が明らかに『根據の本質(τῆς αἰτίας τὸ εἶδος)をば示さうとする』もの、卽ち『根據付け』であり、しかもこの假定が代理すべき當のものは明かに理性根據に於て與へらるべき『イデア』そのものであるといふことである、何故ならばここに假定せらるべきものは『最も强固だと判斷せられるところの理性根據』又は『最上のものと思はれる』ところの理性根據であつて、プラトーンはこれをば例へば美自體、善、大さ等のイデアに於て求めてゐるから。第二に注意せらるべきは、『この假定自からについて理性根據が與へられねばならず』、かくして一つの假定に對して『更に他の假

定を假定し』ながら、終に『或る充足的なるもの』に到達するといふことである、これかやうなあらゆる假定の假定としての『充足的なるもの』に於て、假定の體系、卽ちイデアの體系が可能となつて來るからである。 第三にはこの假定としての理性根據は『これに一致すると思はれるもの』をば『眞』として定め、然らざるものをば『眞でない』と定めるといふことである、何故ならばこれによつてイデアが單なる存在根據ではなくして同時に價値根據であるといふ意味が指示せられ得るからである。 實際若し事物の成生及び消滅にして、又人間的意識の歷史的領域へ入來りそして再び消え去るところのすべての變易にして、それ自身に於て明瞭に理解せられ得べきであるならば、そこにそれがよつて成立するところの或るもの、卽ち『パイドン篇』の所謂『根據』(αἰτία)がその根柢に於て要求せられねばならぬ、しかもこの根據は前にも述べたやうに決して單に根柢に横たはつてゐるものではなくして、却つて根柢を横へることそのことでなければならぬ、何故ならば單に根柢に横はつてゐるものは、事象の分析的なる存在論的先行者として基底(Fundament)となることが出來ても、それの綜合的なる先驗的先行者として根據(Grund)となることを、得ないからである。 かくして根柢を横たへることとして特徵付けらるべき根據としてのイデアはあらゆる意味に於て『もの』(πρᾶγμα)から根本的に異つたもの、卽ちἕτερον として、それはあらゆるものの存在根據、卽ちοὐσίαであるばかりでなく、同時にそれ自から理性根據、卽ちλόγοςでなければならぬ、そしてここに假定としてのイデアの確實性の意味が存する。プラトーンが『かの假定といふ確實なるもの(τὸ ἀσφαλής τῆς ὑποθέσεως)によりて自からを支へながら』(Phaidon 101 D)と言つたのは深き意味を有つものでなければならぬ。

以上のごとく『パイドン篇』に於ては、根據としてのイデアが假定として規定せられ、そしてその假定は更に他の假定を要求し、終に究極的假定として『或る充足的なるもの』に到達し、ここに假定の體系としてのイデアの體系が可能となるとともに、このイデアの體系があらゆる存在の根據であるのみならず、また價値の根據であることが指示されたのであるが、この『或る充足的なるもの』に對してかの『善のイデア』(ἡ τοῦ ἀγαθοῦ ἰδέα)の概念をば導來ることによりてイデアの體系に於ける假定的性質と、これに於ける存在性格と價値性格との透徹が一層明らかにせられ、ここに辨證法の性質が積極的に規定されるやうになつたのはかの『ポリテイア篇』でなければならぬ。プラトーンはこの『ポリテイア篇』に於て、『可思的者』(νοητόν)

從つて、イデアの領域をば、こを考察する二つの態度に應じて、二つの部分に區別してゐる。　卽ち第一の部分は、かの知覺の對象としての『可視的者』(ὁρατόν)をば類似者として利用しながら、求めらるべきものをば既に見出されたものと假定してこれをば根源となし、これから出發して推論とそれの結合とにより、再びこれをば見出さんとするものであつて、かの數學及びこれに聯關をもつ學はこの領域に屬するのである。　然るに第二の部分は、同じく假定から出發するが、これは決して根源とせられるのではなくして、むしろ根源を求めこれに歸り行くものとして、更に高次の假定に進み行き、かくしてあらゆる假定の假定としての無假定的者に到達することに於てここに眞の意味に於ける根源が實現せられ、假定の體系が可能となる、と考へられるものであつて、これこそかの辨證法の成立するところの領域でなければならぬ。　プラトーンはこれ等について次のように主張する、『可思的者(νοητόν)の一つの部分をば、魂は、前に區別されたもの卽ち可視的者(ὁρατόν)をば類似者(εἰκόσι)として使用する間に、假定から(ἐξ ὑποθέσεων)出發し、しかも根源(ἀρχή)へ歸り行くのではなくして却つて終結(τελευτή)の方へ行くことによりて、探めることを餘儀なくせられる、これに對して他の部分をば、魂は、同じく假定から出發し、しかもそれ以上何等の假定をも必要としないところの根源の方へ歸り行き、そして前者に於て使用されたやうな類似者なくして概念(εἶδος)そのものを取扱ふことによつて、探めることを餘儀なくせられる』(Politeia 510 B)。 然るに今これ等二つの領域の性質について先づ注意せねばならぬことは、その第一の部分はかやうに『可視的形態をば利用するが……しかし決してこの可視的形態をば取扱ふのではなくして、却つてこれが類似する當のものを取扱てゐる』のであるゆへに、それはどこまでも『可思的者』であるといひ得ること、また『それの探求に於て魂は假定を利用することを餘儀なくせられるが、』しかしこのことは『魂が假定を超えて上り行くことを得ないがゆえに、根源へ歸り行かない』ために然るのではなくして、むしろそれは『より下位の事物から表はされるところの、しかも他と比較して明瞭であると稱讚且つ尊重せられるところのものをば類似者として利用するがため』に假定を利用することを餘儀なくせられるといふこと、そしてこれ等のことは、この第一の部分が、可思的者の學でありながらなほ直觀と不離の關係にあると考へられる數學及びこれと聯關ある學の領域として特徴付けられる所以である、といふことである。 然るにこれに對してかの第二の部分は、『理性が辨證法的能力(διαλέγεσθαι δυνάμει)によつて假定(ὑποθέσεις)を造る間に、理性が直接に把捉するところのもの』をば意味するのであるが、しかもこの場合『理性はこの假定をば根源(ἀρχή)として造るのではなくして、むしろ理性が無假定的者(ἀνυποθέτου)に至つてすべてのものの根源に達し、そしてこの根源をば把捉するために通路及び階段として眞に假定を造るのである、』そして『かくして再びかの根源に聯關してゐるところのすべてに倚りながら終結(τελευτή)の方に降つて行く、』しかもこの場合『到る處感性的に知覺し得るものをばそれに利用するのではなくして、却つてただ概念(εἶδος)そのものをば利用し、かくして終に同じく概念に到達する』といふこと、そしてこれ等のことはこの第二の部分が眞の意味に於ける假定の學として『存在及び可思的者の辨證法的學』(ἡ τοῦ διαλέγεσθαι ἐπιστήμη τοῦ ὄντος τε καὶ νοητοῦ)の領域として特徴付けられる所以である、といふことである。(Politeia 510 D—511 C)。　かくして吾々は今やかの『メノン篇』に於て數學及び純粹可思惟的者の學の兩者に對し、等しく前提といふ意味に於て類推的に使用された假定の概念が、ここに假定そのものの働きの上述のごとき二つの重要なる區別を通じて、これ等二つの學の領域の性質とそれの聯關とを一層明らかならしめたのを見るのである。　即ちかの第一の部分即ち數學及びこれに聯關ある學に於ては、探められたものをば見出されたものとして、從つてこれをば根源として出發するゆえに、これに於ける假定の能作及びその進行はより多く論理的包攝關係であるに、對し、かの第二の部分卽ち辨證法的學に於ては、同じく假定から出發するも、かの第一の部分のやうに可視的者をば類似者として利用するのではなくして、どこまでも概念そのものを利用し、しかもこれをば直ちに根源として出發するのではなくして、むしろ根源を求め、これに歸り行かんとするものである限りに於て、これに於ける假定の働らき及びその進行はどこまでもそれの本來的意味たる基礎付け的作用として、より多く先驗的方法的關係であつて、しかも內容の產出と不離の關係に立つものである。しかのみならずかの第一の部分にありては、假定が直ちに根源として立せられてゐるゆえに、どこまでも『假定を超えて上り行くことを得ず、』從つて嚴密なる意味に於ける體系の根據を缺いでゐるに對し、第二の部分に於ては、假定及びその進行はかやうに本來的意味に於ける先驗的、基礎付け的關係であるゆえに、この假定はどこまでも超出せられて終にあらゆる假定の假定としての『無假定的者』が要求せられ、ここに始めて嚴密なる意味に於ける假定の體系、卽ち基礎付けの體系としてイデアの體系が成立することが出來るのである。

そして『存在者及び可思的者についての辨證法的學(ἡ τοῦ διαλέγεσθαι ἐπιστήμη)によつて考察されるところのものは、かのそれの根源が假定であり、そしてそれをば感官をもつてではなくして悟性をもつて考察せねばならぬところの所謂技術的學によつて考察されるものよりもより確實である』(Politeia 511 C) とせらるるのも、又この後者即ち數學及びこれに聯關ある學が、數學的イデアの觀照に專念する限りに於てそれは既に前者即ち辨證法的學の領域に入來れるやうに思はれるにかかはらず、なほ數學的イデアの觀照は辨證法そのものではなくして、むしろ辨證法への豫備門として考へられてゐるのも、これ等數學及び數學的學が徹底せる體系的完全さに達したイデア論による補足を缺いでゐるがためでなければならぬ。(Cohen, Plat. Ideenl. u. Math. s. 22)。かくして可思的者の領域の第二の部分たる辨證法は、それがかくイデアの究極的なる體系的認識である限りに於て、まさしく『あらゆる知識に對して要石(θριγκός)として横はり、そしてこれを超えて何等他の知識ももはや正當に打建てられ得ず、むしろすべての知識がここに究極に達する』(Politeia 534 E)やうな知識である。 それは『眼や他の感官の助けをば放棄して、存在そのものと眞理とに向つて進み行くもの』(Ib. 537 D)であり、又は『知識と存在の本性との交互的類縁の綜観』(Ib. 537 C)である。 そしてこれに於てはイデアの本質は前述のごとくどこまでも假定であるゆえに、それは根柢に横はつてゐるものでなくして根柢を横へることであり、目指されたものでなくして目指すことである、即ち根柢に横はるもののなき根柢、目指されるもののなき目的作用そのものである。 かやうにイデアはあらゆるものの基礎付け的根據であるゆえに、イデアには始めもなければ終りもない。 始めはむしろ根源であり、終りはむしろ體系である。 そしてこのイデアの體系に於ける眞の根源としてこの體系をば可能ならしめるところの最高のイデアは實にかの假定の假定としての『無假定的者』であつてこれをばプラトーンは持に『善のイデア』(ἡ τοῦ ἀγαθοῦ ἰδέα)として特徴付けたのである。 それゆえにここに善のイデアとは決して單に道徳的なるもののイデアといふ意味にとどまるものではなくして、あらゆるものの根據の根據付け、あらゆるものの目的の目的作用を意味しなければならぬ。 善のイデアはあらゆるイデアの眞の歸趣であり、完成である、あらゆるイデアがそれに於て意義と存在とをもつところの場所である。 それは『存及び存在中の最も光輝あるものの観照』(Politeia 518 C)であるとともに、『すべてに對して、すべての正しきもの、又美しきものの根據であり、そして可視的者に於ては、これが依存するところの光と太陽とを産出するものであり、然るに可思的者に於ては、この善のイデアのみが、支配者として眞理と理性とを生ずる』(Ib. 517 B—C)。それがためにこの善のイデアと他のすべてのイデアとの關係はもはや單なる類と種、一般と特殊との論理的關係ではなくして、同時に目的論的實現關係である、しかもこれに於て善のイデアは決して單なる目的因ではなくして同時に動力因を荷へる目的因である、何故ならばあらゆる假定の假定、基礎付けの基礎付けとして考へられる善のイデアはそれ自から究極目的たるとともに同時に實現作用そのものであるから。 然しながらここに再び問はれねばならぬことは、如何にして善のイデアはかくあらゆる目的の目的として、同時にあらゆる存在の存在たることが出來るか、如何にして目的因と同時に動力因たることが出來るか、換言すれば如何にして善のイデアはイデアの體系的發展に於て自己を實現するために『辨證法的』(διαλεκτικός)たることが出來、從つてイデアの體系的認識をば『辨證法』(διαλεκτική)として特徴付けることをば可能になすことが出來るか、といふことである。先づ吾々は善のイデアが辨證法的としてかく辨證法を成立せしめるのはどこまでもそれの假定性そのものに存しなければならぬと思ふ。 前述のごとく善のイデア又は善自體はまづ『それ自から存在でなくして、威嚴と力とに於て存在を超出する』(Politeia 509 B) ところの存在根據である。然るにあらゆる存在の根據を含むものはそれ自から單なる『定立』(θέσις) であり得ない、何故ならば單なる定立はそれ自から一つの存在を意味するからである。それゆえに存在根據たるものはこの意味に於て決して『存在する』ことを得ない、卽ち存在根據は決して單に根據として『在る』(sein) のではなくして『根據である』(Grund sein) ことでなければならぬ、それに於ける『定立』(Setzen) は直ちに『根據の定立』(Grundsetzen)、卽ち『根據付け』(Grün-dlegung) でなければならぬ。 そしてこの單なる定立と區別されたる根據の定立、卽ち根據付けこそやがてかの假定としての善のイデアの本質的特質でなければならぬ。 それゆえにここにいふ假定卽ち ὑπόθεσις とは上述のごとくそれが『下へ (ὑπο-) 置こくと(θέσις)』を意味する限りに於て單なる想定でも、前提でもなくして、むしろまづあらゆる定立をば超出することを意味しなければならぬ、これに於ける ὑπο- はまづ否定性そのものを荷はなければならぬ、卽ちこれは自己の根柢へ、自已を止揚し、自巳を超越しゆくことをば表はさねばならぬ、しかもこれは單なる自己否定、自己超越ではなくして、最も眞實なる自己自からを求むるためのそれでなければならぬ。それゆえにこの ὑπόθεσις とはどこまでもかく『下へ置くこと』即ち根據への定立である、根據への定立は上述のごとくもはや單なる定立ではなくしてむしろ定立をば否定し、これを超越することに於てそれの根據を求むるところの、自己の原始分割としての『判斷』(κρίνειν)そのものに外ならない、何故ならば判斷とは自己分割による自己の辯明であり、辯明とはやがて內的根據への指示、從つて根據への定立であるから。プラトーンに於けるイデアが『異れるもの』(ἕτερον)又は『異れる存在』(ἕτερον ὄν)(Phaidon 74 A, B)として示されてゐるのはイデアに於ける假定性の有つこの自己否定、自己超越、自己分割のかの非存在的なる基礎付け的性格によるものでなければならぬ。かくしてかの善のイデアが單なる超越的實體にとどまらないで目的因と動力因との透徹として生產の原理を荷つてゐるのはそれが假定の假定たる究極的假定として、それに於ける絕對的否定性、絕對的超越性を通じて却つて自己を根據付け、自己を實現するといふ絕對的基礎付け的の性質によるものでなければならぬ。そしてかく自己の絕對的否定性を媒介として自己の根據へ歸り行くところの運動の仕方はやがて辨證法として特徵付けられるものに外ならないのである。プラトーンが『根源が確實となるために、あらゆる假定を止揚しながら直ちに根源そのものの方へ歸り行く』ところの仕方をば『辨證法的方法』(ἡ διαλεκτική μέθοδος)となしたのはこれがためでなければならぬ。(Politeia 533 C)。然しながらこの絶對的假定に於ける絶對的否定性は決してそれ自からにとどまるものではなく、それは直ちに絶對的肯定性によつて動機つけられてゐるものであるのは言ふまでもない、吾々はこれに於ける否定性の深き意義をば强調すればするほど、そこにより深き肯定性の要求をば見るのである、何故ならば假定に於ける『下へ』(ὑπο-)を通じての否定性は、それ自からの『異れるもの』(ἑτερός)としての根據を『置くこと』(θέσις)によつて動機付けられてゐるからである。 卽ち ὑπόθεσις はそれが ὑπο- である限りに於て否定的性格を荷ひ、しかもそれがこの ὑπο- による『異なれるもの』の θέσις である限りに於て、より深き肯定によりて裏付けられてゐるものでなければならぬ、卽ち假定はそれが自己否定を通じての自己肯定であるところに、從つてそれの本質が基礎付けそのものであるところに、それの超越性とともに先驗性があり、それの存在性とともに目的性があり、それの必然性とともに自由性があり、そしてかかる基礎付けそのものに於ける矛盾の統一に於てそれの辨證法的性質は成立するのである。 そしてかのあらゆる假定の假定、あらゆる基礎付けの基礎付けたる善のイデアが自己否定を通じての自己肯定として、あらゆる辨證法的なるものの究極的根據であり、從つて假定又は基礎付けの體系的認識をば辨證法として成立せしめる最高の原理であるのは當然であると言はねばならぬ。

第二　辨證法的方法に於ける假定的性格

四

これまで吾々はヘーゲルのロゴスの辨證法から出發し、フィヒテの我の辨證法を經て(この兩者はここには省略されてゐる)プラトーンの假定としてのイデアの辨證法にまで遍歷して來たのであるが、今やここにこの假定を本質とするところのプラトーンの辨證法の立場に於てこれまで辿つて來たところのフィヒテ及びヘーゲルの辨證法を回顧するならば、彼等の辨證法はこのプラトーンのそれに於て、又プラトーンの辨證法はかれ等のそれに於て如何なる變容と新らしき意義とを得るであらうか。　先づヘーゲルのロゴスの辨證法の本質が、所謂正立、反立、綜合の單なる論理的構造聯關に存するのでなくして、どこまでもこの構造聯關そのものを貫くところの辨證法的運動そのものの基礎付けにあるのは言ふまでもない、若し然らざれば、如何にして正立は端初として反立に移行き、反立は更に自己自からに歸り行くことによりて綜合に進展することが出來るか、卽ち正立はどこまでも卽自態として自己同一性にとどまるべきであるにかかはらず、これが自己自からに反照し、自己を止揚し、對自態としての反立に移行き、これが更に自己を止揚し、否定の否定として、卽自且對自態なる綜合に進み行くことが如何にして可能であるか、といふことが理解され得ないであらう。　或はこのやうな自己否定による進展は、全くロゴスそのもの、概念そのものの原始的なる本質的特性である、換言すればそれは理性の事實に外ならない、といひ得るにしても、しかもこの場合このロゴス、概念、理性はどこまでも自己自からを辯明せねばならぬ、何故ならば辨證法とは前述のごとくロゴスの自己辯明であると考へることが出來るからである。　例へばヘーゲルはその論理學に於て、有をもつて端初となし、そしてこの有が『すべてそれ以上規定なきもの、それの無規定的直接性に於て單に自己自身に等しきもの、自己の内にても外にても何等の差別を有たぬもの、卽ち純粋無規定性及び空虚』であるがゆえに『それは無であつて、無以上のものでも、無以下のものでもない』といふのであるが（Logik I, S, 66, 67）、しかしこれは決して有の概念から無の概念へ移行したのではなく、して、この兩者は始めから同一的として想定せられてゐるに過ぎぬ、何故ならばヘーゲルはこの無をば定義して『無又は純無とは、自己自からとの單純なる同一性、完全なる空虚性、且つ無內容性、自己自からに於ける無區別性である』(Ib. s. 67)となしてゐるのであるが、これはまさしく彼がさきに有に對して與へたる性質と同一內容を有つからである。　卽ち有が端初として直接的なるものであるといふことは、單に自己自からに等しきものといふことのみを意味すべきであつて、有のかかる直接性が、無媒介性、無規定性、無內容性、抽象性、空虚性、從つて無として規定せられるためには、それ自から既に他の無によりて媒介せられてゐなければならぬ。卽ち無に等しとして規定せられるかの有は眞に直接性に於てあるのではなくして既に媒介せられてゐるものでなければならぬ。　然しかやうに有がそれによつて媒介せられることによつて無に移行せしめられるところの無は如何なるものであるか、換言すればこの辨證法的運動そのものの眞の端初は如何なるものであるか。　吾々はここにヘーゲルがかの精神現象學に於て、意識そのものに於ける端初と、意識の學そのものに於ける端初とを區別し、そしてこの後者をば終結としての絕對知に於て見出し、そしてこれをば『知識の力素』(Element des Wissens) (Phänom., Vorrede, s. 25) として、意識そのものの背後に於て絕へず意識の辨證法的運動をば媒介し、基礎付けるものとなしたやうに、ここにもまたロゴスの辨證法的運動に於ける契機又は內容の端初とともに、またロゴスの學としての論理學そのものの端初をば、かの『思惟の力素』(Element des Denkens)としての絶對的理念に於て見出し、かくして有をばどこまでも契機の端初としての意義を維持せしめながら、それが學そのものの立場に於ける端初によりて媒介せられてゐると考へ得るであらう。(Logik I. s. 53—4)。然しここに問はれねばならぬことは、かく端初が二重性を有つといふことではなくして、この端初の二重性に於て、學の端初たるべきかの絶對的理念は如何なる意味に於て思惟の力素としてかの契機の端初たる有を媒介するのであるか、又はかの眞に有無を媒介するところの無は如何にして終結としての絶對的理念であることが可能であるか、といふことである。素より思惟の力素として學の端初たるべき絶對的理念は、未だ契機の端初に對して自覺されてゐず、從つてそれは契機の端初に對して無としての媒介者であると考へられるのは當然であるであらう。それゆえにこの無としての媒介者は決して單なる空無ではなくして、有無のより深き統一としての無でなければならぬ、換言すれば『端初をなすものは、既に存在してゐるが、然し同樣にまた存在してゐない、有と無との對立者は端初に於て直接的に合一してゐる、端初は有無の無區別的統一である』(Logik

I, s. 59)と考へられねばならぬ。然し終結が思惟の力素として有無の無區別的統一となり、有無を媒介するとは如何なる意味であり、又如何にして可能であるか。吾々はそれをば終結そのものが同時に荷ふところの完成性と未來性、換言すればそれの目的性に存すると考へ得ると思ふ。卽ち終結はそれの完成性に於てどこまでも絶對有であると共に、それの未來性に於て絶對無であると考へることが出來る。然しここにいふ完成性とは決して既に完成せる實在をば意味してはならぬ、既に完了圓滿せる實在といふごときものは、かのパルメニデース的なる抽象的、形而上學的概念であつて、これは決してかの有無を媒介すべき思惟の力素としての端初たることを得ない。また未來性といふことも決して單なる心理的未來性を意味してはならぬ、單なる心理的未來性、卽ち『まだない』は無の現實性とともに有の可能性をば指示するにしても、有の現實性そのものをば基礎付けることを得ない、これ終結としての絶對的理念は『それの現實性をばそれ自からに卽して有つところの可能性』(Encycl. s. 191)でなければならぬから。卽ち終結に於ける完成性とはやがて未來性そのもの、豫料そのものの完成性であり、又それに於ける未來性は完成性そのものの未來性、完成性そのものの豫料を意味しなければならぬ。然しここにいふ豫料とは決して單なる特殊的豫料でなくして豫料作用そのものであり、未來性はまた決して永遠の彼方を意味しないで、永遠の完成作用そのものを意味しなければならぬ、卽ちそれは未だあらざるがゆえに常にあり、未だ完からざるがゆえに常に完きものである。かくしてそれはあらゆる有無、あらゆる契機がそれに於て媒介せられるところの場所である。然しあらゆる有無、あらゆる契機がそれに於て媒介せられる場所とは決して單なる空間的基底を意味してはならぬ、それはどこまでも場所なき場所であり、基礎なき基礎でなければならぬ、場所なくして他を在らしめ、基礎なくして他を確立せしめるところの純粹なる基礎付けそのものでなければならぬ。ヘーゲルに於ける思惟の力素としての絕對的理念は實にかくの如き意味に於ける基礎そのものとして考へる場合に始めて有無を媒介する眞の端初として可能と考へられるとともに、吾々はここにかのプラトーン的意味に於ける假定の深き性格を見ることが出來るのである、卽ち『そこには未だ何ものも無い、しかも或るものが生せねばならぬ。端初は純粹な無ではなくして、そこから或るものが出て來べき無である、それゆえに有もまた端初の中に含まれてゐる。かくして端初は有と無との兩者を合せ含み、有と無との統一である、卽ちそれは同時に有である非有、また同時に非有である有である』(Logik I, s. 58)と言つたのはまさしく有にして無、無にして有たることによりて有無を基礎付くべき假定としての性格を特徴付けたものでなければならぬ。然しかくのごとき有と無との統一としての思惟の力素たる端初へ吾々は如何やうにして接近し得るか。ヘーゲルの辨證法はロゴスそのものの運動の構造聯關と發展との存在論的叙述であつて、從つてこの辨證法的運動そのものの眞の究極的端初は常にその背後にかくされ、その契機の進展を媒介するものとして豫想せられるに過ぎず、從つてこの端初の、基礎付けそのものとしての假定的性格が自覺されてゐない、それがために吾々がヘーゲル自からの立場に留まる限り、かかる思惟の力素としての端初は、この辨證法的發展そのものの終結に於ての外これを實現することを得ないであらう。それゆえに吾々にして辨證法的運動のあらゆる一歩、一歩に於てこれを媒介するかかる眞の端初をば把捉し得るためには、この存在論的立場をば、今一度かのプラトーンに於ける『それ自身存在でなくして、威嚴と力とに於て存在を超える』(Politeia, 509 C)ところの『善自體』、又は『善のイデア』といふ存在論的であると共に先驗的であり、價値論的であるところの、基礎付けそのものとしての假定の立場に於て反省して見なければならぬ。この假定の立場こそまさにかの辨證法的運動の端初の本質であり、又これへの唯一の通路でなければならぬ、何故ならば假定の立場とはやがて上述のごとく末だなくして常にあり、叩くことに於てのみ開かれ、探むることに於てのみ與へられるところの無の基礎付け的立場であるから。然しながらこれがために假定の立場は決して單なる氣隨の立場ではなくして、どこまでも自由の立場、眞面目の立場である、これは『意識の深き坑(Schacht)から引出されるもの』(Cohen, Logik s. 432)である、どこまでも自己の根據を求め、自巳の眞面目に歸り行かんとするところの探求そのものである、自己自らの基礎付けそのものである。そしてかかる假定の深き意義をば吾々は却つてかのフィヒテの我の辨證法の本質に於て實證することが出來、そしてこれによつてかれの我の辨證法をば一層具體的に根據付けることか出來るのではないかと思ふ。

今我の辨證法の本質をなすものはいふまでもなく『我は我である』といふ自覺であつた。『我は我である』とは勿論我が我を我として知ることである、『我は』といふ知る我が『我で』といふ知られる我に等しといふことを『知る』ことである、『我は』といふ知る我の正立が、『我で』といふ知られる我、卽ち非我の反立に移行き、しかもこの知る我をば知られる我、卽ち非我に等しとして再び正立に歸り行くことによつて却つてこの對立を超えこれをば一層深き我の根柢に於て綜合するのが『我は我である』といふ自覺の原本的なる辨證法的本質であつた。然しこの知る我と、これに對立する知られる我卽ち非我とが等しとして立せられるのは何によるのであるか、卽ち正立をば反立へ、反立をば綜合へと媒介するものは何であるか。これはフィヒテに於ては所謂主客の絶對的同一としての絶對我に於てでなければならぬ、絶對我こそ知るものと知られるもの、作用と對象、行と事とがそれに於て合一するところの『事行』として、自我と非我との綜合を媒介する根源でなければならなかつた、何故ならば事行とは單なる盲目的活動ではなくして、それに於てあらゆる對立、矛盾が統一せられ、從つてあらゆる本質、あらゆる意味、あらゆる理念、それゆえにまたあらゆる作用が結付くところの、本質の本質、理念の理念、また作用の作用であり、從つてあらゆるものがそれに於てあり、それの存在と意義と價値とを獲得するところの究極的なる基礎付けそのものであると考へ得るから。然しここにまた同樣に問はるべきことは、吾々は如何にしてかる純粹事行又は絶對我をば實現することが出來るか、フィヒテに於てこの純粹事行はどこまでも『吾々の意識の經驗的規定の下に現れ來らず、又來るを得ないところの、むしろあらゆる意識の根抵に横はり、そしてそれのみが意識を可能ならしめるもの』(Grundl. d. ges. Wiss. s. 11)であるとするならば、吾々は何に於てかゝる意識の可能の根本豫想たる事行への通路をば見出すことが出來るか。『私は自己意識に達する以前には何であつたか』といふ問ひに對しては、『私は全然存在してゐなかつた、何故ならば私は自我でなかつたから。自我はただ自からを意識する限りに於てのみ存在する』(Ib. S. 17)といはれ、又『絶對我は自己自からによつて直定的に基礎付けられ、限定せられ、何等より高いものから限定せられない』(Ib. S. 40)といはれるにかかはらず、吾々はなほ何等かの意味に於てこれをば把捉し得ないならば、自覺の本質は決して充分に確定せられ得ないであらう。しかもフィヒテ自らもいふやうにこの自覺そのものの根據たる純粋事行としての絶對我をば吾々はただ自覺の事實そのものを通じての外は實現することを得ないであらう。それではかゝる純粋事行としての絶對我がそれを通じて接近せられ得るやうな自覺の事實とは如何なるものであるか。吾々はこれをば一方に於ては自覺に於ける『記憶』の性質、他方に於ては自覺に於ける『意志的』性格、そして一言にしていへば自覺に於ける『假定的』性格に於て見出し得ると思ふ。

先づ自覺に於ける『記憶』とは如何なる性質であるか。『記憶』(Memoria)とはかのアウグスチヌスのいふやうに『そこに感官がすべての可能的事物から拾ひ上げた無數の像の寶物が見出される』ところの、そして『そこに感官が把捉したところのものをば吾々が大きくし又は小さくし又は如何やうにか變化し得るかぎり、吾々が思惟する一切のものが寄托されてゐる』ところの『場所及び廣き宮殿』(campus et latum praetorium)であり、そして『記憶のこの場所に於てすべては相互に充分分離せられ、所屬に從ふて秩序付けられ、且つ入場に從ふて保管せられてゐる』として特徴付けられ得るであらう。(Confessionum X. Cap. 8. §. 11, 13, übers. v. Hoffmann)。それゆゑに『私の記憶のこの大なる場所に於ては、天も地も、海も、私が忘却したものといふ唯一の除外例をもつて、私が曾て知覺し得た一切のものとともに、私のものである、そしてこの場所で私は私自らに遇ひ、又私自からをば想起するのである、何をなしたか、何時なしたか、又何處でなしたか、どんな氣持でなしたかについて』(Ib. X, Cap. 8, § 14)。しかもこの場合かの『忘却』(oblivionis)すらも記憶の中に存する、卽ち『私が今忘却について語り、又何について私が語るかを知つてゐる場合、私は私が忘却をば想起するといふこと以外に如何にしてこの忘却をば認識し得るか。……それゆえに忘却は記憶の中に確保せられる、從つて吾々が忘却しないがために忘却は記憶の中にあり、しかもそれがそこに存するならば吾々は忘却するのである』(Ib. X. Cap. 8, §24)。しかのみならず吾々はかやうに吾々が經驗したすべてのことをば、そして忘却といふことすらも、記憶の場所に於てもつのみならず、また吾々が直接に經驗せざることがらをも、これに聯關する或るものをば機縁としてそを想起する限りに於て、この記憶の場所に有つといはねばならぬ。然しかかる特性をもつところの記憶は如何にして可能であるか。これはかのプラトーンのいふやうに、吾々の記憶の場所にあらはれ來るすべての內容が實は外から來らないで吾々の魂がそれ自らに於て擔つてゐるところの理念そのものの再認識であること、そしてこれがためにはこの記憶の場所が、あらゆるものがそれに於て起り、それに於てあるところの時間そのものを意味する、といふことによつて可能でなければならぬ。然しながら先づ魂がそれ自からに於て理念を擔つてゐるといふことは前述の如く決してかの前世に於ける理念の觀照、又はライプニッツに於けるやうに『潜勢的に』(virtuellement)觀念又は眞理を有つ、といふことを意味してはならぬ。若し然らざればそれは一つの合理的心理學の獨斷に墮し、かの吾々の精神をば原本的に單なる白紙になぞらへるところのロックの主張をば決して打超えることを得ないのであらう。吾々の精神が理念又は眞理を有つとは決してかやうに心理的、實在的意味を有しないで、方法的實在的意味を有つものでなければならぬ。即ちそれは吾々の魂そのものの『無窓』又は『無門』にもとずく必然的なる魂の性質でなければならぬ。プラトーンがイデアの想起をば『探求』(ζητεῖν)といふことの必然的條件として要求したのはこれがためでなければならぬ。元來眞なるもの、本質的なるものは決して單に存在するものでも、また存在せずして單に妥當するものでもない、それは一方に於て絶對に無であるとともに他方に於て絶對に有であると考へ得るであらう。例へば同じく一個の大理石に於て、それに對して何等の態度をもとらないものに對しては、そこに何等の美的對象も存しないのに反し、藝術家に對してはそこに無限なる美的對象の實在がみられ、かれはたゞその鑿により

これを顯はにすれば足りる、と考へ得ると同樣に、吾々が眞なるもの、本質的なるものをば憬がれ求めない限り、それは永久に無であるとともに、しかもそれをば自已の全生命をもつて憬がれ求むる限り、丁度かのアウグスチヌスが『汝が求めねばな

らぬものをば知るとき、それは既に發見の一部である』(Quest. in Heptat. I, übers. v. Harnack, s. 40) といつたやうに、それは同時にまた絶對の實存性を有つであらう。かのレッシングの比喩にあるやうに、神が一方の手に『眞理自體』を、他方の手に『眞理の探求』をもち、その何れかを擇べと言つた場合、その單なる眞理自體といふやうなものはただ神に對してのみその意義を有つものであつて、吾々に對してはこれ等二つの手の區別は正當には存すべきでない、吾々に對しては『眞理は決して完成して與へられ、從つて直ぐ懷中に捩ざ込まれ得る鑄造された貨幣ではない』(Hegel, Phänom. s. 26)、又は『眞理は驚嘆して開いてゐる口の中へ、炙燒きの鳩として飛込んで來るのではなくして、あらゆる最高の財を得んためと等しく、それを得んがために鬪はねばならぬ』ものである(Windelband, Präludien I, 65)。否な、吾々に對しては正當には上述の眞理自體と眞理の探求といふやうな二つの區別は存すべきでなく、むしろ眞理の探求こそ眞理そのものの唯一の本質であらねばならぬ。眞理卽ち ἀλήθεια とは『蔽はれないもの』といふことである。然し絶對に蔽はれないものは決して與へられるものでなくして、見出さるべきものである。見出すとは單に既存するものをばそのものとして見出すといふことではなくして、丁度かの大理石に於ける像のごとく蔽はれてあるもの、または無に於てあるものをばそれの蔽ひを除去することに於て產出するといふことである。吾々に與へられてゐるものはすべて何等かの意味に於て蔽はれてゐるもののみである、卽ち與へられてゐるものはどこまでも問題として與へられてゐるものである、蔽はれざるものは蔽はれたものを通じてのみ、解決は問題を通じてのみ與へられるのである。そして蔽はれざるものは蔽ひを除き去らんとするものに對してのみ、解答は問題を解決せんとするものに對してのみそれの實在性と意義とを有たねばならぬ。蔽ひを除き去ること、問題を解くとは如何なる意味であるか。それは自已自からをば自已自らのより深き根柢に於て反省することである、自已が自己自からを對象とし、自已自からを超えることによりて一層深く具體的なる自已に歸り行かんとすることである。そしてかやうにあらゆる外的制約から解放せられ、自已自らを超えることによりて自由なる本來的なる自已の相を實現しやうとすること、換言すればプラトーンの所謂『自已についての知識』(ἐπιστήμη ἑαυτοῦ)こそ眞の意味に於ける『想起』でなければならぬ。そして想起がかく自已についての知識である限りに於て、想起はやがて自覺の根本特質であるといふことが出來るのである。

然しながらこゝになほ問はれねばならぬことは、想起とは上述のごとく、一方に於て、自覺に於ける自己自からについての知識であるとともに、それは他方に於てどこまでも既に過ぎ去つたもの、從つて現實的存在をは有たぬものを再認識することであると考へられねばならぬのであるが、しかし如何にして既に過ぎ去つたもの、もはや存在を有たぬものをば自覺に於て再認識することが可能であるか。これは普通に考へられてゐるやうに過去が現在の中に保留されてゐるがためであるとも考へ得るであらう。然し過去は如何にして現在の中に保留せられ得るか。現在とは、かのアウグスチヌスが『若し人にしてもはや如何なる部分にも、又最少の部分にも分たれ得ないところの或る時間を考へ得るならば、その時人はこれのみを現在と稱することが出來る』(Confess. XI, Cap. 11, § 20)といつたやうに、時間經過の尖端として、卽ち限りなき過去と限りなき未來との接觸點として、形式的にはそれ自から何等の存在性を有たぬものである。しかもこれに於て吾々がもはやなき過去を再認識し得るのは、かかる形式的性質にかかはらず、現在そのものに於ける內容、卽ちそれに於て直觀せられる時間そのものの本質のためでなければならぬ。卽ち吾々が時間の流れに於てあり、これに制約せられてゐる限り、吾々はかのものはや無き過去を把捉し得るためには、吾々はこの時間の不可逆性をば超越せねばならぬ、時間の不可逆性を超越するためには、吾々はこの流るる時間に於てあるのではなくして時間そのものの本質の中に沈潜することによりて自由に時間そのものを見ることが出來ねばならぬ。 カントは『現象の一切の變易がその中に於て思惟されねばならぬところの時間は留まりて變易せぬ、何故ならば時間は繼起的存在と同時的存在とが單にその限定としてのみその中に表象せられ得るところのものであるから』(k. d. r. v. s. 219)といふが、吾々はもはやなき過去を再認識するためにはこの流るる時間の樣相をば留まる時間に於て見ることを得なければならぬ。 留まる時間とは如何なるものであるか。 それはプラトーンが時間とは『統一に於て持續するところの永久性の、數に從ふて進行するところの像』(Timaios 37 E)又は『永久性を模倣するところの、そして數に從ふて圓環的に進動するところのもの』(Ib. 38 B)と言つた場合の、又はプロ、チヌスがプラトーンに從ふて『時間は魂の運動に於て、生活の一つの表現から他の表現へ移行くところの魂の生活である、これ永久性とは靜止、不變、平等及び無限に於ける生活であり、そして時間はこの永久性の像である』(Enneaden I. VII, § 11)と主張した場合の『永久性』(αἰών)

ゐのものである。然しかく永久性が留まる時間であり、そして流るる時間はこの永久性卽ち留まる時間の影であるとするならば、この流るる時間が永久性卽ち留まる時間の影であるとは如何なる意味であるか、換言すれば流るる時間に於ける過去、現在、未來の樣相は永久性、卽ち留まる時間に對して如何にしてかゝる關係に立つのであるか、又はかのアウグスチヌス自からが問ふやうに『如何にして永久性は靜止し、そして未來的及び過去的であることなくして、なほ未來的並びに過去的時間をば規定するか』(Confess. XI. Cap, 11, § 13)。かれによれば『永久性に於ては何ものも經過しない、却つてそれに於てすべては現在的である。……すべての過去は未來から押し除けられ、又すべての未來は過去に隨伴する、そしてすべての過去と未來とはかの永久の現在からして創造せられ且つそれから出發するのである』(Ib. XI. Cad. 11, § 13)。然し永久の現在からして過去と未來とが創造せられるとは如何なる意味であるか。先づ現在とは如何なるものであるか。『若し現在にして決して過去の中に自からを失ふことなくして常恒的に現在的であるとするならば、現在はもはや何等時間ではなくして却つて永久性であるであらう。』それゆゑに現在にしてどこまでも時間の樣相として存在性を有ち得るためには、それは過去へ移り行かねばならぬ、しかもその場合、『現在の存在の根據は現在の存在が直ちに非存在に移り行くといふことの中に存する』がゆゑに、現在はそれの存在をは失はねばならぬ。(Ib. XI. Cap. 14, § 17) しかもこれにかゝはらず、現在がなほ時間の一様相として存在を有つのは、それが永久性又は永久の現在の自已實現の尖端と考へられるからでなければならぬ。次に未來及び過去とは如何なるものであるか。未來とは未だ來らざるもの、過去とは既に去つたものである。それゆえに『若しここに未來がどこまでも未來であるならば、未來はそこにまだ存在しないであらう、又そこに過去が過去であるならば、過去はそこにもはや存在しないであらう。それゆゑに若し彼等が存在し得るならば彼等はそこにただ現在として、あるのみである』(Ib. XI, Cap. 18, § 23)。卽ち未だ存在せざる未來について豫料を可能ならしめ、もはや存在せざる過去について眞實を語ることを得しむるものはこの過去及び未來に於ける現在性そのものでなければならぬ。かくしてかの三種の時間の様相は、アウグスチヌスの言ふやうに實は『過去についての現在』(praesens de praeteritis)、『現在についての現在』(praesens de praesentibus)、『未來についての現在』(praesens de futuris) といふべきであり、そしてこれをば可能ならしめるものはこれ等三つの様相が『吾々の魂の中に現存し』、これに對してそれぞれ『記憶』(memoria)、『直觀』(contuitus)、『期待』(expectatio)が對應するがためである。卽ち『精神は、かれから期待されたものが、かれの知覺を通じて、記憶に移行くやうに、期待し知覺し且つ記憶するのである。未來がまだないといふことを誰が拒否するか。然し未來的のものの期待は既に精神の中に存する。過ぎ去つたものはもはやないといふことを誰が否定するか。然し過去の想起はなほ精神の中に存するのである。又現在はそれが瞬間に經過するがゆえに持續を欠ぐといふことを誰が拒否するか。然し知覺はそこに持續するのである』(Ib. XI. Cap. 28, § 37)。かやうにして時間は『まだないところのものからして、何等の持續をももたぬところのものを越えて、もはやないものへ經過しゆくもの』(Ib. XI, Cap. 21, § 27)であるにかかはらず、これ等三つの様相がそれの存在性を有つのは、それがかくすべて現在に於てあり、しかもこの現在が何等の持續をも有たないのになほかやうにすべての時間様相をば含み得るのは、上述のごとくそれが單に時間經過の尖端をなすといふことのためではなくして、それがかの永久性卽ち留まる時間そのものの自己實現の尖端を意味するがためでなければならぬ。然し現在を通じて永久性又は留まる時間が實現せられるとは如何なる意味であるか、吾々は如何なる意味に於て現在に於て永久と又は留まる時間を見ることが出來るか。　かのアウグスチヌスが『吾々ゝ吾々が時間について語る場合にこの概念を理解する、又吾々は吾々が時間について他の概念が語られるのを聞く場合にもこれを理解する。　それでは時間とは何であるか。若し誰もが私に問はないならば私はそれを知る。　しかし若し私にして誰かのこの問ひについて説明しやうと欲するならば、その時私はそれを知らない』(Ib. XI, Cap. 14, § 17) といひ、又ヘーゲルが『時間はそれが在るがゆえに在らず、又それが在らざるがゆえに在るところの存在である』(Encycl. §. 216)と言つた場合の時間の本質は實にかかる永久性又は留まる時間について言はれたものと考へ得るであらう。　然しそれが問はれないならば知るが、問はれるならば知らない、又はそれが在るがゆえに在らず、それがあらざるがゆえに在る、といふやうなものは、それ自から存在でも、基礎でもなくして、却つてそれの解決によつてのみ存在があらしめられ、基礎がそれの實在性と意義とを得て來るところの課題であり、又は基礎付そのものとしてのみ可能でなければならぬ。　何故ならば課題は解決の先取であり基礎付けは基礎の豫料であり、しかもこの先取又は豫料はかのコーヘンのいふやうに

『時間の根本的活動』であり、そしてそれは時間が決して『後續の繼起の秩序』(Ordnung der Folge des Nacheinander)でなくして、むしろ『繼起作用の産出』(Erzeugung des Folgens)であることを明らかならしめるものであるから。(Aesthotik, S. 158)。元來時間に於ては一般に『繼起』(Folge)と『同時存在』(Zugleichsein)との二つの根本樣相が考へられるのであるが、然し時間繼起は心理的繼續と取りかへられてはならぬ。卽ち繼起とは表象が後續的に意識の舞臺に現はれることと考へられるのであるが、しかしこの後續とは決して單なる『表象の經過の模寫』ではなくしてどこまでも『それに從ふて表象がそれの經過をば秩序付けるところの範型』でなければならぬ。それゆえに繼起とは繼續に於て隨起するものがそれに先立つものに引づられてゆくといふやうに『回顧的』(repro pektiv)の性質をその一面に有つものであるが、しかも眞に具體的なる時間經過に於てはそれが常に必ず一定の方向を有つといふことのためにかかる『回顧』又は『後顧』(Rückschau)よりもむしろ『前望』(Vorschau)がより本質的なる特質と考へられる限りに於て時間經過は一般に繼起よりもむしろ上述のごとく先取又は豫料としてより適切に特徵付けらるべきものと考へられる、何故ならば『繼起するものは豫め取り入れられたもの(vorweggenommen)でありそしてこの先取はやがて時間の特有なる、根本的働らきである』と考へられ得るからである。(Cohen, Logik s. 153—4)。 かくして時間繼起に於ては、過去に對して未來が繼起するのではなくして、未來の産出に對して過去が隨伴するのである、又は過去が先づあつたのではない、むしろ先づ未來があり、そしてこれからして過去が浮び出るのである。『まだない』(Noch-nicht)の見地からして『もうない』(Nicht-mehr)が出現するのである。そして現在とは決して固定された點ではなくしてかの未來と過去との兩端の間に浮動してゐるものである。(Cohen, Aesthetik s. 158; Logik s. 154—5)。

次に時間の第二の根本樣相としての同時存在とは如何なる性質であるか。同時存在は普通現在の樣相に關係せしめて考へられる限りに於てそれは時間概念であるとともに、それが『共在』(Beisammensein)又は『連在』(Zusammensein)をば意味する限りに於てそれはまた空間概念である、卽ちこれは時間そのものの空間性を表はすものとして深き意義を有つものでなければならぬ。 先づこの『共在』とは如何なるものであるか。かのコーヘンのいふやうに、共在とは本來外的のものを意味するものであるが、しかしこの外的のものは單なる外ではなくして内が外へ投射されたものである、卽ち外は實は内であり、『外への投出』は『内からの發出』でなければならぬ。(Logik s. 196, 197)。かくして共在は一方に於て內の超越であるとともに他方に於てどこまでも內の擴張である、從つてこの共在をば可能ならしめるところの空間は一方に於て內的のものの形式である時間をば超えるとともに、他方に於てそれはどこまでも時間そのものの空間性でなければならぬ。共在が空間的性質とともに同時存在として時間的性質を有たねばならぬのはこれによるのである。そして吾々はかかる時間と空間との內的關係をばかの運動概念に於て最もよく見ることが出來るであらう。運動とは普通ただに時間に於ける或るものを意味するのみならず、また同時に空間をば豫想する、卽ち運動とは時間と空間との關係であると考へられてゐる。然るに空間の性質として考へられるところのかの共在は運動をば排斥するゆえに、若し運動にして成立すべきであるならば空間の共在は融解せられねばならぬ。それでは何へ共在は融解せられるのであるか。それはコーヘンのいふやうに時間への融解以外の何ものでもあり得ない、卽ち時間への空間の融解がやがて空間と時間との關係の實行に外ならないのである。然しながらかく運動に於て空間は時間に融解するにかかはらず、それに於て空間は決して消滅するのではなくして、それはどこまでも時間そのものの空間性として、流るる時間がそれに於て常に具體的內容をば有つところの統一の場所となろ、卽ちそれに於て空間はもはや決して固定形象を造らないで、却つてそれは『投射域』(Projektionsfold)又は『變化の舞臺』(Schauplatz für die Veränderung)になるのである。(Cohen, Logik s. 231)。かくして空間とは時間が時間自からを寫すところの場所である、內が內そのものを表現することによつて外となるところの統一面である。かのアウグスチヌスが時間に於ける最も根源的なる樣相をば現在に於て見出し、そして自然及び人間に於けるあらゆる生成と轉變とをば吾々がこの現在を通路として擔ふところの永久の現在に於て意義付け、基礎付けやうとしたのは、やがてこの時間に於ける空間性に於て時間の本質を見出したがためでなければならぬ。しかしながら更に溯つてこの時間の空間性そのものに包まれるところの時間の具體的內容の上から考ふれば、かの後顧卽ち過去に對してと同樣に、共在卽ち現在に對しても、前望、先取、豫料、卽ち未來が優位を有ち、從つて時間の具體的本質としての時間の空間性は、かの永久の現在としてよりもむしろ永久の未來として一層正當に見出さるべきではないかと思ふ。現在が一方に於て同時存在又は共在として何等の運動を表はさず又他方に於てそれが過去と未來との單なる交叉點として何等積極的なる存在領域をば要求し得ないにかかはらず、なほ吾々の生命そのものの尖端として深き意義と力と實在性とを有つのは、それが未來そのものの豫料を含むがためでなければならぬ、それが單なる現實でなくして、同時に實現であるがためでなければならぬ。かの永久の現在が單にあらゆるものがそれに於てあるところの抽象的場所でなくして、同時にあらゆるものの創造の場所と考へられるのは、この永久の現在が實は永久の未來の現在であるがためでなければならぬ、永久の未來が永久にそれ自からを顯はにするところの實現の場所であるがためでなければならぬ。かくして吾々は時間の樣相に於て、より正當に過去はむしろ未來の過去、現在はむしろ未來の現在、未來はむしろ未來の未來であるといふことが出來るであらう。そして時間のかかる未來的性格は決して單なる肆意的想定ではなくして、吾々はこれをば時間概念がそれに於てのみ原本的に成立すべき自覺の性質に於て一層具體的に自證することが出來るであらう。それでは自覺に於ける時間的性格とは如何なるものであるか。

自覺とは言ふまでもなく自己が自己自からをば認識することであるが、しかし自己が自己自からを認識する場合、まづ認識する自己がありてこの自己自からの認識をば産出するのではない、自己は自己をば認識する以前に何等自己ではない。自覺と、自己なき自己の認識である、働らくものなき働らきの直觀である、從つて自己を認識するとは自己を創造することである。それはかのフィヒテのいふやうに『私が行動するものをば直接に意識することであり、又私が或ることを行ふがゆえに私をしてその或ることをば知らしめるものである』といふ意味に於ける『知的直觀』である。(Zweite Einleitung i. d. Wiss. s. 47)。素より自覺は一つの『區別の意識』である。卽ち自覺に於て私は私自身から私をば區別する、しかもこれに於てこの區別されたものは、それが區別されてゐる間に、直接的には、私に對して何等の區別ではない、何故ならばこの區別されたものは必然的に他在に於ける自己自からに外ならないからである。かやうにして自覺は一方に於て自己をば自己自身から區別し、從つて自己をば自からに非らざるものとして止揚するがゆえに、自己自からを失つたものであり、しかもこれと共に、それはこの區別されたものをば他の本質と見ないで、どこまでも他に於ける自己自からと見るゆえに、それはまた他をば止揚するのである。卽ち自覺に於ては、自己が自己をば否定し、更にこの否定を否定することによつて自己をば回復するのである。そしてかやうに自己を否定することによつて却つて自己を回復し、自己を失ふことによつて却つて自己を見出すといふ自覺の根本事實に於て、吾々は辨證法そのものの最も原本的なる形態と根據とを自證することが出來るのである。かくしてかのフィヒテに於ける自我と非我との絶對的同一を表はすところの『我は我である』といふ自覺はかのコーヘンのいふやうに實は無限判斷に關係し、しかもこの無限判斷は、やがて我についての根源の判斷でなければならぬ、卽ちそれは無（Nichts）といふ迂路に於て、換言すれば否定を媒介として根源を見出さんとするものである、從つて自覺に於ける非我はどこまでも『自我の根源概念』（Ursprungsbegriff des Ich）としてのみ用ひらるべきであつて、決して先づ『物及び事柄への相關』（Korrelat zu Ding und Sache）として用ひらるべきではない。（Cohen, Ethik, s. 210）。かくして自覺は普通それが意味せられるところの『意識の統一』（Einheit des Bewusstseins）といふことよりも、より多くを意味せねばならぬ。自覺は決して思惟の自覺でもなければまた感情の自覺ととりかへられることをも得ない。從つて自覺は思惟の統一でも、感情の統一でもなくして、どこまでも人格そのものの統一として意志の統一でなければならぬ。意志の概念は自覺に於て始めてそれ自からの深き意義をば充實する。意志はそれの純粹性に於ては、與へられた客觀として、又は彼を規定する客觀として、外的客觀をば必ずしも第一義的に欲しない、それはただ行爲に於てのみそれ自からを表現し、それ自からを開展する。それがために行爲は『意志の自己開展』又は『自己にまでの意志の開展』に外ならない。そして意志のかかる自己開展又は自己にまでの開展がやがて自覺の本質でなければならぬ。(Ib. s. 225)。かやうにして自覺は今や純粹なる意志の唯一の決定的なる中心的內容として認識せられる。そしてこの純粹意志をば內容とするところの自我は、かの思惟の自我のやうに客觀に對する主觀を意味しないで、どこまでも主客觀の合一を意味すべきである限りに於て、それはかのコーヘンに於けるやうに思惟の自我と區別して『自己』(Selbst)として特徵付けることが出來るならば、吾々は自覺卽ち『自己意識』(Selbstbewusstsein)てふ表現に於て、意識といふ側面よりも、むしろ純粹意志の自我としてのこの自己といふ側面の上へより多く關係するのを見るであらう。勿論自覺が自己についての意識として意識を意味すべきであるといふことはいふまでもない、卽ちこれが意識に結付くといふことはコーヘンのいふやうに『意識』が『可能性の假定』を意味し、そして『意識の種類は可能性の種類を展開し、從つてこの可能性の種類に於て自己自からを展開する』、それがために自己はただ可能性の開發としての意識に於てのみ自己自からとなることが出來る、といふことからして理解せられ得るであらう。しかしながらかやうに自覺即ち自己意識が『自己の可能性』を意味する場合、この開發せらるべき可能性はどこまでも上述のごとく思惟の自我と區別せられたる、純粹意志の自我としての自己の可能性である、即ち自己意識に於てその具體的本質をなすものは單なる可能性の開發といふことではなくして『純粹意志の新らしき可能性』の開發、即ち『純粹意志に於ける道德性の建設』といふ積極的側面にあるといはなければならぬ。(Cohen, Ethik s. 260, Logik s. 420)。かくして自覺は『自己の可能性』として今や本來的に單なる思惟に關係するのでなくして意志に關係する、自覺に於ては決して單に心理的意味に於て意識に關係するのではなくして方法的意味に於て意識に關係する、即ち自覺は單に自己自身を表象すること、自己自身を思惟することではなくして自己自身を意志することでなければならぬ、換言すれば自己意識はやがて『自己意志』(Selbstwille)又は『自己にまでの意志』(Wille zum Selbst)でなければならぬ。(Cohen, Ethik s. 261)。然しながらこの場合この純粹意志としての自己は既に可能的なる觀念的形態に於て與へられ、これをば實現してゆくのであると考へられてはならぬ。　自己は前にも述べたやうにそれが自覺に於て自からを顯はにする前に豫め現存するものではない、却つてそれは始めて自覺に於て自からを産出せねばならぬ、自己の可能性の開發は自己の創造をば意味せねばならぬ。自己はそれが客觀に對する單なる主觀でなくして、むしろ主客觀の合一がそれに於て可能となるところの本來的意味に於ける『主體』(Subjectum)として特徴付けることも出來るであらう、何故ならばこの主體てふ語はその本來的意味に於ては現今の意味とは反對に、却つて主觀をば超越せる基體であり、そしてこれに對して『客體』(Objectum)とはむしろ主觀的なる對象をば意味したのである、そしてこの主體がもはや基體でなくして主觀となり客體がむしろこの主觀の氣隨を防ぐ支柱となつて來たのはかのライプニッツに於て以來のことである。　それではこの原始的意味に於ける基體としての主體とは如何なる性質であるか。『主體』卽ちSubjectumとは周知のごとくかのアリストテレースに於ける『ヒュポケイメノン』(ὑποκείμενον)の譯語であつて、これは『それについて他のものが述語せられるものであつて、しかも自から決して他の或るものにつきて述語せられないもの』である、そして『吾々は先づそのやうに主體の性質をば規定せねばならぬ、これ原始的に事物の基礎に橫はるものは、最も眞實の意味に於て主體であると考へられるから』Met. Met. 1028 B—1029 A)。　即ち主體とはその原本的意味に於ては『客觀的性質の實體的擔持者』である、從つてそれは主觀客觀の何れでもなくして、原始的に事物の根柢に橫はりこれをば成立せしめるところの基體である。　然しながらこの基體としての主體はそれがあらゆる主客觀の對立をば超越してゐるとともに、しかもこれは決してかのアリストテレースに於けるやうに基礎に橫はつてゐるところの實體として解せられてはならぬ。　主體即ちὑποκείμενονはそれの語義が示すやうに『下に(ὑπο-)橫はるもの(κείμενον)』を意味するのであるが、しかもこの『下に橫はるもの』とは丁度かの『下に(ὑπο-)置くこと(θέσις)』又は『下に(ὑπο-)橫はる場所(θέσις)』を意味するところのかの『假定』即ちὑπόθεσιςが決して基礎又は基礎に橫はる實體を意味しないで、どこまでも基礎付けそのもの、又は基礎付けの場所を意味したやうに、それは實體的意味よりも、むしろまづ作用的意味又は場所的意義をもたねはならぬ、即ち下に橫はるものとは基礎として下に橫はるものといふ意味ではなくして、むしろ基礎なき基礎付けの活動そのもの、又はあらゆる基礎がこれに於て可能となるところの場所である、そしてこのことは『ヒュポケイメノン』がまた劇の活動の場所を意味するやうになつたことからしても認められ得るであらう。主語となつて述語とならざるもの、即ちそれについて他のものが述語せられるのであつて、決して他のものについて述語せられないものは、却つてあらゆる述語及びそれの結付きをばそれの屬性として産出するところの純粹なる創造作用そのものでなければならぬ。即ち純粹視覺が無限なる色の本質の結付きに於て、純粹聽覺が無限なる音の本質の結付きに於て、純粹思惟が無限なる範疇の結付きに於て成立すると考へられるやうに、かかる本質の本質、作用の作用の無限なる結付きに於て純粹意志は上述のごとき意味に於ける主體として成立するのである。即ち純粹意志の自己としての主體は、かやうにただ無限なる本質の本質、作用の作用として、どこまでも主語となつて決して述語とならないものであるがゆえに、却つてあらゆるものの述語となることが出來、それ自から何等の限定を有たないがゆえに、それに於てあらゆる限定が可能となるところの主なき主體である。かのフィヒテに於ける絶對我とは實にかくのごとく見るものなくしてすべてがそれに於て見られ、働くものなくしてすべてがそれに於て生産せられるところのかかる無の主體でなければならぬ。かくしてかの『自己意志』又は『自己に・までの意志』は實にかやうな無の主體への意志であり、無の主體への意志はやがて無の主體の豫料であり、無の主體の豫料は無の主體の基礎付けであり、そしてかかる豫料又は基礎付けこそ眞の意味に於ける假定の働らきであり、そしてここに眞の意味に於ける時間性をば見ることが出來ねばならぬ。卽ちかの問はれないならば知るが、問はれるならば知らないと考へられるところの時間の本質は、實に無の主體としての純粹意志の自覺の豫料的又は假定的性格の中に存するのである。吾々はこの純粹意志の自覺の假定性的格を通して時間そのものの本質の中へ沈潛し、かくして流るる時間のあらゆる制約を超え、思惟のあらゆる規定から解放せられて、彼岸的なるものをば把捉し、從ってまたもはやなき過去をば再認識し、未だなき未來をば豫料し、一瞬にして去るべき現在をば所有することが出來るのである。假定卽ち『ヒュポテシス』とは前述のごとく『下へ置くこと』卽ち『基礎を置くこと』卽ち基礎付けそのものである、從ってそれは單なる氣隨でなくして自由であり、肆意でなくして眞面目であり、自己の中に自からの根據を求め、蔽はれたる自己に於て蔽はれざる眞の自己をば豫料することである。根據とは決して單なる基體又は基礎ではなくして基礎をば基礎付けるものである、それは決して『思惟の所有券』(Besitztitel des Denkens)でなくしてむしろ『思惟の課問權(Aufgaben-Recht des Denkens)である (Cohen, Logik s. 305)。 從つてそれは決して外から超越的に與へらるべきものではない、外から超越的に與へられたものは決して眞の自己をば基礎付け得ないであらう。 思惟が目指すすべての對象の源泉をば思惟自からの中に見出すことが、思惟に對して基礎が與へられるといふことである。 然るに見出すとは求めることであり、求めることは豫料することであり、豫料するとは假定することである。 しかも自己の基礎を求め、豫料し、假定するためには、必然的に自己自からを否定し、自己自からを超越せねばならぬ。 否定は實に自己の根源の發見のための必然的手段でなければならぬ、卽ち吾々は、自己をば無へ超越することによりてのみ却つて眞の自己を見出すことが出來るのである。 自己をば無へ超越するとは自己をば假定に於て見ることである、基礎なき基礎付けそのものとして見ることである、主語となつて決して述語とならないところの主なき主體に於て見ることである。 主體とは前にも述べたやうに主觀的實體でも、形而上學的實體でもなくして、無限なる本質と本質、理念と理念との結付き、從つてまた無限なる作用と作用との結付きの、場所なき場所である。これはかのプラトーンに於けるイデアのイデア、假定の假定としての無假定的者たる善のイデアをばその本質内容とすべき純粋意志そのものの場所でなければならぬ。純粋意志とは純粋豫料、純粋未來性、純粋基礎付け性として時間性そのものであり、そしてこの時間性はその純粋豫料、純粋未來性、純粋基礎付け性のために假定そのものである。かのプラトーンが『假定といふ確實なるものによつて自からを支へながら』(Phaidon 101 D)と言つたやうに、かれがそこに『眞理の最深の是正、最終の規準、最高の證明』を置いたのは當然でなければならぬ。それでは假定はかかるそれの基礎付け的意義をば如何なる論理的作用に於て實行するかといふに、それは言ぶまでもなくかの『假言的判斷』(hypothetisches Urteil)の作用に於てである。假言的判斷とはそれ自からの名稱が示すやうに『假定』又は『條件付け』(Bedingung)をばそれの本質的内容とするところの判斷である。然るに『條件付け』は一般に認められてゐるやうに、先づそれの前件のみに於ても、また後件のみに於ても成立しないで、どこまでも全體の命題組織に於てのみ成立するものである。次にこの條件付け卽ち Bedingung はそれの語義が示すやうに物への指示に於て成立する、卽ちそれは物をば『物付けること』(Be-Dingung) に於て成立する。かの定言的判斷が實體の判斷としてただ『物性』(Dingheit)の根柢をば示すに過ぎず、卽ち『物の豫約』

(Ding-Vorbedingung) であるに過ぎぬのに對し、この假定的判斷に於ける條件付けはむしろ『物の産出』(Ding-Erzeugung)をば表はす、それは要求であるとともに要求の實現をば示すものである、假言的判斷が法則の判斷として特徴付けられるのはこれがためでなければならぬ(Cohen, Logik s. 271)。かくしてこの條件付けに於ては前件に於ける條件又は理由はただに全體の端初であるのみでなく、それは同時に全體の目的である、從つて單に前件が後件の理由であるのではなくして、同時にまた後件が前件の理由である、換言すれば前件の理由が後件を媒介すると同時に後件の目的が前件をば媒介するのである、そしてここにかの終りが始めであり、始めが終りであるといふことをば根本表徵とするところの辨證法の特質を見ると共に、辨證法そのものが本來假定的性格を有つといふことの理由を見るのである。即ち自己の否定、自己の超越を通して却つて自己を回復し、自己に歸り行くところの自覺の辨證法的運動をば媒介するものは上述のごとく、この自覺がそれに於てあり、それに於て産出せられるところの主なき主體、働らくもののなき働らきとしての純粹意志であり、しかもこの純粹意志はそれが純粹豫料、純粹未來性、純粹基礎付け性をばそれの本質とする限りに於て純粹假定の性格を有たねばならず、從つてそれの辨證法的運動そのものを導くところのものは假言的判斷の假定、又は條件付けに於ける基礎付け的性質、從つてそれに於ける自己否定性、自己超越性そのものでなければならぬ。辨證法とは實に自己を反省することによりてのみ自己を實現し、自己を否定することによりてのみ自己を見出し、自己を假定することによりてのみ自己を基礎付けるところの自覺そのものの論理であると言はねばならぬ。

フィヒテの道德學に於ける形式主義の克服

——一七九八年の道德學の體系について——

柳田謙十郎

本篇は昨年の續篇してと見らるべきものではありますが、同時にまた私自身の『辨證法的道德學』への序曲として、一箇の獨立性をもつたものと見られても差し支へないものであります。

一

カントの純粹理性批判がわれわれの經驗的認識の普遍妥當性の豫想から出發し、この概念を分析することによつてその先驗論的制約にまで遡つて行つたものであるとするならば、フィヒテの知識學は更にこの先驗論的制約をば制約する根抵にまで反省を深めゆくことによつて、我々に端的に直證せらるべき自覺の根源的直觀に到達し、其處から出發して全知識學の體系をば辨證法的に展開せしめんとしたものであるといふことが出來るであろう。同樣な意味でもしカントの實踐理性批判が實踐的當爲意識の必然性と普遍妥當性の豫想から出發し、此の概念を分析することによつてその先驗論的制約にまで遡つて行つたものであるとするならば、フィヒテの道德學はこの制約自身をば更に反省的に深めゆくことによつて、端的に自由なる自覺的能動性に到達し、其處からわれわれの道德的義務の全體系を導出しようとしたものであると言ふことが出來るであろう。故に彼の道德學も其の出發點に於てはカントに於けると同樣、當爲法則の普遍的必然性にあつた。人間の心情の中には一の强要があり、人はこの强要によつて或る事をば他のあらゆる外的自然目的から獨立に端的に之をなし又はなさざることを命ぜられる(IV, S. 13)。この動かすべからざる意識の事實から出發してそれの可能根據を明かにするといふことが彼の道德學の第一部をなす「道德の原理の演繹」の眼目であつたことは云ふまでもない。唯彼は此の學的反省に際して此の意識の事實の先驗論的制約をば單に論理的に必然的なる概念として想定するといふだけではどうしても滿足することが出來なかつた。もしそれが論理的に必然的であるとすれば其　　　は又これを必然的ならしめる何らかの根據がなくてはならない。しかも此の根據はあらゆる制約の制約をなすもの、根據の根據をなすものとして、もはやそれ自身他のいかなるものによつても制約されることのないものでなくてはならない。フィヒテによれば此の無制約者は將にそれが無制約者であるといふことの本質によつて、意識の中に定立せられるいかなる客觀の中にも、亦かかる客觀に對置せしめらるるいかなる主觀の中にも之を求めることはできない。何となれば一者は常に他者の制約を離れては成り立たないものであるから。故にもし上にのべたやうな無制約者が求められるとするならばそれは客観と主観との對立の未だ分れる以前のもの、主観が同時に客観であり客観が同時に主観である所の Subjekt-Objekt としての根源的自覺に於てより外には之を求めることはできない。かくて彼は道徳學に於ても亦知識學に於けると同様自覺の根源性に於て端的に直證せられる處の一の根本命題から出發して其處からわれわれの道徳的意識に於ける義務の諸命法を體系的に導出しようとする。三角形の内角の和が二直角になるといふことは正確なる三角形の圖形について之を測定したものには何人にも計量的に算出せられる答であり、又この事實がどうして可能となるかといふ問題も其處から當然發生して來る譯であるが、この幾何學的問題に對して眞實に答へることが出來るためには、われわれは少くともその論證の過程にあつては三内角の和がどれだけになるかといふ様な結果については恰も全然無知であるかの如き態度をとりかかる結果からは全く獨立に、純粋に三角形そのものの概念から出發してこれが必然的にさうなるべきであることを證明すべきである。證明に際して最初から其の歸結を前提し、これと一致させるためにあれも少しこれも少しと變更して辻褄を合せようとするが如きことは正當な學的證明の態度としては許されることはできない。フィヒテは知識學や道徳學に於ける演繹をも此の如きものでなければならないと思惟したが故に彼にとつて全知識學の根本命題として定立せられる處のものは、證明の歸結として示さるべき所與事實の單なる可能制約として、この所與事實を豫想することによつてのみ始めてその必然性が想定され得るにすぎないやうな單なる論理的豫想に止まるものであることはできなかつた。それは何處までそれ自身として自我の自覺に於て端的に直證せられるもの、所與の事實を超へて自己自らの中に絶對無制的なる眞理性を含むもの、むしろ所與事實の必然性がそれによつて始めて可能となることが出來るやうなものでなければならなかつた。

かくてカントにとつては一切の行爲の道徳性の根本制約をなす處の自由は最後まで一の要請に外ならず、たとひそれは靈魂の不滅や神の存在の要請とは全く異つた先驗論的意味を道徳概念そのものに對してもつものであり、此の要請がなければわれわれにとつて動かすことの出來ない義務の意識自身が一の空想となるの外はないといふほど我々の道徳的行爲に對して緊密且必然的な先驗論的關係を有するものであつたにはしても、尚それは何處までも一の要請にすぎず、我々の現實的意識のどうしても直證することの出來ない前意識的概念以上のものであることはできなかつた。然るにフィヒテにとつては自由はもはや此の如き單なる論理的豫想としての先驗論的概念に止まるものではなくて、自我の Tathandlung に於ける反省的自覺として、この Tathandlung そのものに於て直證せられねばならぬ處の眞理の眞理、凡ゆる眞理認識の根源的制約をなす所の絕對無制約的な眞理でなければならなかつた。其處に我々はまづ彼の實踐哲學に於けるカントより注目すべき一步の前進、かのクローナアが批判的倫理學より思辨的倫理學への深化となづけた處のもの(Von Kant bis Hegel I, S. 392 ff.)を見出すのである。此の事によつて彼は一面カントに未解決に殘された幾多の問題に對して新たな光りを投げかけることが出來たと共に、他面又カントに於てはまだあらはにされて居なかつた多くのアポリアを明確に自己の前に對置せねばならなくなつたのである。

二

われわれは彼の道德學が展開する處のこれらの諸問題をば、われわれ自身の問題であるところの彼に於ける形式主義の克服への努力の跡を追求すると言ふことの道程に於て漸次に打ち出して行かねばならないと思ふが、このことに先き立つて私はまづ彼の道德學の根本原理をなす所の自我の自由乃至絶對獨立性の概念を一と通り檢討して置きたいと思ふ。

彼の云ふ所によれば自我は、それの主觀的側面をしばらく捨象してこれを一の客觀として見るならばそれは或る意欲的なるものとしてのみ見出される。自我が自我として自我ならぬものから區別せられる所以の本質的性格をなすものはそれが一の意欲であり absolute Tendenz zum Absoluten であり、eine Tendenz zur Selbsttätigkeit um der Selbsttätigkeit willen であることに存する(IV, S. 28 f.)しかも物は自己の存在をば自ら少しも知ることなしにかゝるものとして唯存在するにすぎないが、自我にあつてはそれの存在と意識とは常に必然的に相結合すべきであり、自覺なき自我の單なる存在といふやうなものはいかにしても思惟され得ない。換言すれば自我は直觀の絶對的能力を有する、それは他の何ものからも導出されることの出來ない無媒介的直接的事實である。かくしてかの意欲――絶對能動性への傾向はそれがかゝるものとして定立せられると同時に、必然的に又自己をば一の知性として定立しかの意欲をばこの知性の絶對自發的なる概念の支配權の下に立つものとして定立する。其處に自我の自由と獨立性とが成立つのである。凡ての存在はそれが存在たる限りに於ては凡て他の存在によつて制約されるものとしてそこから必然的に導出せられねばならぬものであるが故に、それはいかなる場合に於ても自らの中に自由の原理を含むものとして定立されることはできない。自由は唯知性に於てのみ可能である。自我はかの絶對能動性への傾向――それは自我によつて一の客觀として定立せられたものではあるが、しかしもはや單なる存在ではない――をば自己自身として直觀することによつて自己を自由として定立し、まさにこのことによつて單なる概念による原因性の能力を得るのである。理性體の本質はそれの自由にあり獨立性にある。彼は他の何ものにも依存しないが故に獨立的たるべきであり、かくして其の故にこの獨立性をば自己自身の本質的法則としておのれ自身のために打建てる。この法則は一面から言へば自我の自由に基いて生じたものとも云へるが、しかし他面から言へばそれは又自我の獨立性といふ法則自身によつて成り立つものとも言へる。結局この兩者は因果とか從屬とかいふやうな相互關係に於てあるものではなくて全く一にして同一なる思想である。かくて道德の原理は知性がその自由をば獨立性の概念に從つて絕對無例外的に規定すべきであると云ふ知性の必然的思想に外ならないのであると(IV, S. 13—59)。

しかしフィヒテのかくの如き自由乃至道德の概念はそれがどれほど必然的であるにしても結局あるべき所のものに對する一の理念に外ならず、成るほど自我が眞實に自我としてその本質に於て定立さるべきであるならばそれはかかるものとしてより外には定立されることはできないであらう。しかし單にそれだけによつては果してこれに相應するものが有限的理性體としてのわれわれの現實に於て自覺的に體驗され得るか否かは、まだ少しも明かにされてはゐない。然るに現實のわれわれにとつて切要な問題は自我がその理念に於て自由であるか否かといふことではなくて、經驗的個體としてのこの私がかゝる自由をばおのれ自身に內なるものとして見出すことができるか否かといふことである。フィヒテによれば自我はそれが自己をば自我として意識し定立する限り必然的に自由でなければならず、もしそれがそうでないならば我々はこれに自我なる名稱を與へることはできないといふのであるが、この私がまさにかゝる自我であるといふことの自覺を持ち得むが爲めには少くとも私は單なる現實の私たるにとゞまらずして、眞實にフィヒテの所謂「あるべき自我」にまでおのれ自身を引き上げてゐることが前提せられなくてはならない。然るに現實の私は常に地上的なるものへの執着に捉はれた煩惱具足の有漏身である。假りに個々の行爲の瞬間に於て時に自然の系列を破るような自由の力を自己自身の中に意識することがあつたとしてもそれが單なる自由の假面にすぎず、眞實には更に根の深い自然的欲求に基いてゐる僞善でないと唯が保證し得よう。まことに人は教化善導の美明の下にさへも尚己れの名利の欲をみたし、神への献身的奉仕の生活に於てすらひそかに自己の保存と擴大への欲求をみたさずには居られないほど矛盾にみち罪にけがれた存在なのである。もし我々が何らの欺滿もなしに眞實におのれのあるがまゝの姿を正視し反省するだけの誠實さを持つて居さへするならば、唯か自己をば自由無碍なる存在として誇稱し得る者があらう。自己自らの行ひを反省して天地俯仰に愧ぢずなどと憶面もなくうそぶくものは唯彼が反省力の缺けた低級な道徳的存在であることを自ら物語るにすぎないであらう。我々はかくの如き人々によつて叫ばるる人間の自由を何らの信頼を以ても受けとることはできない。かゝる空語を離れてもし眞實に自由の自覺せられる世界があるとするならばそれは唯佛者の所謂正法眼藏涅槃妙心、自受用三昧の境界に於てのみ期待せられることが出來るにすぎないであらう。もし然りとすれば自由の哲學は假りにそれが可能であるとしてもそれは唯かゝる覺者に於て說かるる時にのみ意味を持つことが出來るにすぎず、われわれがこれを出發點として學の體系をばそこから導出せんとするが如きはまことにおこがましき潛上であり、結局徒らに他人の寶を數ふるものの閑語にすぎず、身に半錢を得る處もなくして終るの外はないであらう。

此の問題に對してフィヒテ自身はどう考へて居たであらうか。彼も亦哲學が常に一定の內的な個別的體驗を豫想するものであること、自由の哲學は唯自己自身の中に體驗としての自由を見出す者にのみ可能であることを認める。彼が「知識學への第一敍說」に於て「如何なる種類の哲學を人が選むかは、從つて如何なる種類の人間で彼があるかといふことに依存する……生來弛緩した人間や、精神的隸屬と博學の贅澤と虛榮とによつて弛緩せしめられ撓められた人間は決して觀念論にまでは高められて來ないであらう(I, S. 434. 木村譯三三頁)と言つてゐるのも恐らく此かる意味を持つてゐたのであらう。されば彼は又自然必然論の立場に立つて自由を否定する者に對し之を議論によつて説服することは到底不可能なことであり、可能なることは唯彼を敎育する kultiforen ことだけであらうと云ひ (IV, S. 136)、又「世には事實眞實には意欲せず唯常に盲目的傾向につき動かされ驅りたてられてのみゐる人がある。かゝる人は彼の表象をば決して創造的には生産しもせず規定しもせず又方向づけもせずして單に長き夢を夢み觀念聯合の漠たる進行によつてのみ規定されるものであるが故に、又何ら眞實に意識なるものを持たない。自由の意識について語られる時にはかゝる者と共に語るのではない (IV, S. 137) とも言つてゐる。

しかし學に於ける眞理への要求はその眞理内容の如何なる具體的持殊性にも拘はらず尙形式的には常に普遍妥當性への要求としてあらはれる。少なくともそれが一の學であるべき限りに於てはそれは萬人に對して必然的なるものとして成立されなくてはならない。自由は特定の高位にまで高められた或る個人の自覺に於てのみ見出される單なるエクスタシーの世界ではなくて、いやしくも彼が意識的存在であり理性的存在である限りに於ては何人にも例外なしに認められ得る處の不可疑の事實でなくてはならない。このことをフィヒテはどう考へて居たであらうか？ 彼のいふ處によれば自由はわれわれにとつては常に一の理念たるにすぎず、唯行爲の無限系列の彼岸に於てのみ實現さるべく、從つて現實の經驗的被制約存在たる我々にあつては常に永遠に不可到達的なるものに外ならなかつた(IV, S. 149)。かくの如き單なる理念がそのまゝに學の出發點としてとることの出來ないものであることはいふまでもない。學の出發點たり得るものは常に何らか現實的なものでなくてはならない。然らばそれはいかなる意味の自由であつたらうか。私は思ふ、彼がその觀念論哲學一般、特に道德學に對してそれの根柢として要求した處の自由の直觀とはかくの如き理想としての自由乃至絶體獨立性ではなくて、唯經驗的理性的存在としての人間の一切にとつて現實的であり必然的である所の自由でなければならず、tun sollen に媒介され、從つて又之によつて tun können として表象せられる處の自由でなければならない。換言すれば完了して「ある」ものとしての自由の假想的意識ではなくして、課題として與へられ「あるべき」ものとして負荷せしめられてゐる處の自由の現實的意識でなくてはならないと。 我々はたしかにその現實に於ては自己を完了的に自由なるものとして表象することは出來ないがしかし我々がおのれをば一の自我として自覺する限りに於ては自由でなくてはならないのである。單に自然の必然的法則に從つてのみ動くものは物であつて人ではない。これはカントもフィヒテも常にくりかへしてのべて居る通りである。私はフィヒテがその道德學の體系の根本命題としてとつた所の自我の自由、知性に於ける概念の支配權、自我の根源獨立性といふが如き原則をばかゝる意味をもつたものとして理解して行き度いと思ふ。

三

扨私はこれからフィヒテが一七九八年の道德學に於てカント形式主義に對して何の程度まで道德に於ける實質的なるものへの顧慮を進めその積極的意義を明かにし得たかといふ私自身の本來の問題に入らうと思ふが、このことに關聯して第一に着目せられる事實はカントが道德的意志をば直ちに實踐理性としてのみ認めてゐたのに對して、彼が自我の本質を以て客觀的には eine Tendenz 又は衝動に外ならないとなしてゐることである。彼の云ふ處によれば自我はそれが客觀的なるものとして定立される時でも單なる Sein 又は Bestehen であることはできない。何故ならばもしかかるものであるとすればそれはまさにその故に自我ならぬもの、自我に對立するものとして ein Ding に墮してしまふであらうから。かくて自我の本質はそれが自我であつて物でない限り絶對能動性以外のものであることはできない。然るにこの能動性は之を客觀的に見れば衝動に外ならないのである(IV, S. 105)。此の衝動が自己自身をば自然の體系の一部としてあらはす時、其處に我々に於ける低級欲求能力としての自然的個體維持の衝動があらはれる。然るにこの衝動は私にあつては必然的にまたかゝるものとして反省され知覺される。而して此の反省は自然必然性の所產ではなくして自我の絶對自發性にもとづいて端的に反省自身のために反省されるものであるが故に自然必然性によつて之を說明することはできない。フィヒテによればこの反省の最初の結果として我々の意識にまづあらはれるものは單なる欲求の感情としての Sehnen である。それは尙それが向ふ所の woran を知らない處の單なる欲求の感情にすぎないが自我は既にこの感情によつて他の凡ての自然物から區別せられる。植物や動物にあつては衝動はそれの滿足の制約が其處に存在しさへするならば必然的に滿されるであらう。我々の身體に於ても消化、血行、吸收、同化等の諸作用は同樣な自然必然性の制約の下に立つて居る。それはそれらのものがわれわれの意識から獨立に行はれ我々の(知性の)支配權の下に立たないからである。之に對して同じ身體的現象であつても既に飢渇の欲望の滿足といふやうなものになればそれはもはや我々の意識内に行はるる現象として我々の支配權の下に立つものとなる。何となれば飲食の衝動はそれが單に衝動たるのみならず、かかるものとして同時に、反省され意識されるからである。何人と雖も彼が消化作用と同樣な機械的必然的を以て飲食するといふものはないであらう。かくて我々はいふことができる、一定の衝動を感受するか否かは私の支配力の中にはないが、これを滿たすか否かは余の支配力の中にあると(IV, S. 126)。

扨フィヒテによれば我々の衝動は具對的には單なる憧憬といふやうなものにとどまり得るものではなくて、それは常に一定の對象をもつ處の欲望にまで發展する。欲望も亦それが意識的衝動である限りに於てはその根據を自由なる反省作用にもつ。衝動が一般に存在するといふことと及びそれが斯く斯くの對象に向ふといふこととの根據は慥かに自然の中にあるが、しかしそれは自己の外なる客觀的自然の中にあるのではなくて私自身の自然の中にある。即ちその根據は内在的である。かくて又欲望に於ても自由があらはれる。何となれば單なる憧憬から欲望への意識に於ける發展の間には更に一の新たな自由なる反省が行はれるからである。かくして人は不當なる欲望をば、反省に於て、敢て無視し、又は他の仕事、特に精神的勞作に携はる等のことによつてよく抑壓し、これに耽溺することから免れることができるのである(IV, S. 127)。

この場合反省する、ものは反省されるものよりも高次なものであることがこの反省自身に於て直觀される。こゝにフィヒテの所謂低級欲望能力と高級欲望能力との區別が成り立つ。即ち單なる自然衝動としての欲望が被反省的客觀的なるものとして低級欲望能力に關係するに對し、能反省的なる意識の主體性としての衝動はもはや自然的なるものの世界を超へた高級欲求能力に關するものとして見られなければならない。フィヒテによればこの高級衝動は純粹精神的なるものの衝動として能動性のための能動性への絕對自己規定に向ふものであり、自然への單なる從屬に止まる處の凡ての享樂《ゲヌッセ》に反對するものである。

フィヒテに於ける低級欲望能力と高級欲望能力、或は自然衝動と純粹衝動との區別對立はカントに於ける感性と理性、或は傾向と義務との對立に應ずるものであるには相違ない。がしかし我々は其處に又重要な差異があることを看過してはならない。カントにあつては欲望や衝動は唯感性的自然の側面にのみ認めらるる道德の實質的契機に外ならず、その形式的超自然的側面たる義務法則乃至理性に關してはそれが衝動的性格をもつものとしてはいかにしても認められ得ないものでなければならなかつた。もとよりフィヒテと雖もこの兩者を共に衝動として性格づけることによつてその間に嚴存する絕對對立的契機を無視せんとするものではなかつた。それらは等しく衝動ではあつても常に相對待し相戰ふことに於て各がもつ處の本來の意義をば益〻あらはにする所の全く異る秩序の上に立つものであり、我々の道德的生活は一者より他者の解放、自由、獨立への無限の努力に於て成り立つものであるとなす點に於ては彼は尙全然カント的なる地盤に立つてゐたといふことができるであらう。しかし本來非合理的なる行爲の質料性に全く對立する實踐理性の合理的反省的形式的側面に對して彼が衝動乃至欲望能力なる名稱を與へ、少くとも其處にかゝる契機の存在を認めたといふことは私のような主題をもつものにとつてはどうしても看過することの出來ない事柄でなくてはならない。

　しかも此の兩者はフィヒテに於ては決して單に互ひに相對立し相戰ふことに終

る全然別箇のものではなかつた。彼の云ふ所によれば自然存在としての自己の衝動と純粋精神としての自己の Tendenz とは決して兩つの全く相異る衝動ではなくて、先驗論的見地から見れば共に自己の存在を構成する所の一にして同一なる根源衝動であり、それが唯二つの相異る側面から見られたものであるに過ぎない。卽ち私は根源的には單なる主觀でも客觀でもなくて主客觀であり、この兩者の同一性と不可分離性とに於て私の眞實の存在が成立つのである。私が私を感性的知覺並びに判別的思惟の法則によつて全く規定された客觀として見るならば、事實上私の唯一の衝動たる所のものは私には自然衝動となる。何となればかゝる見地にあつては私は自ら一の自然以上のものではあり得ないから。然るにもし私が私をばかゝる客觀に對する能動的原理として一の主體的なるものとして見るならばそれは私には純粋精神的衝動となり或は獨立性の法則となる。されば此の兩衝動の相互作用は本來的には一にして同一なる衝動の自己自身との相互作用にすぎない。まさにこの相互作用の上に凡ゆる自我の現象が横はるのである。此の事によつて全く相對立せる此の兩者がいかにして絕對的一者たるべき同一の存在に於て統一せられることが出來るかといふ問が答へられる。兩者はその根抵に於て一である。唯それらのものが相異るものとして現象するといふことによつて全自我性が成り立つのである。而してこの兩者の限界を區別するものは反省である(IV, S. 130 f)。

彼によれば我々の全實踐的生活を貫通して與へられて居る處の課題はこの兩衝動をば更に再び反省的意識の圏內に於て統一するといふことにある。この統一に於ては高級衝動の側からは活動の純粹性(客觀によつて規定されないこと)が、低級衝動の側からは滿足が目的として課せられなくてはならない。かくしてその統一の結果として見出される處のものは客觀的能動性である。その終局目的は絶對的自由卽ち凡ゆる自然からの絶對の獨立性にあるがしかしそれは現實の我々にとつては無限に到達すべからざる目的に外ならない。其の際もし我々が單に高級欲望能力の方面にのみ注目して他を省みないならばそこには道德形而上學が成り立つであらうが、此の如きものは全く形式的且空虛なものであつても し我々が實有的なる道德學の建設をのぞむならばそれは常に低級欲望能力との綜合的統一に於て考察されねばならないのである(IV, S. 131)と。

以上の如きフィヒテの道德本質に對する見方が道德の具對的內容をばどれだけ

如實に把捉し得るかといふことについては今は暫らく之を措くが、ともかくこれらの思惟に於て彼が根本的にはカント的見地に止りつゝも尙其處に何らか滿たされざることのあることを感じ、之を超へんとする努力が意識的にか無意識的にか彼を支配して居たといふことだけは推測するに難くないであらふ。唯彼はかかる努力を通じて尙絶對に相對立するものに於ける一者の他者に於ける否定と、この否定の否定を通じてのより深き背定といふやうな辨證法的思推に徹することが出來なかつたために眞に具對的なる道德の實相をばその生ける全體性に於て把握すると云ふことが出來なかつたのである。このことについては後に更にくはしく論究するであらう。

四

フィヒテの自然衝動と純粹衝動との區別、對立幷に綜合の關係の考察に當つて今一つ看過されてはならないことは、これらの兩衝動に對して、彼が道德的衝動となづけた所のものがもつ所の特殊な關係である。

先にも述べたやうに自然衝動が全く質料のために或る質科的なるものに向ひ、

満足のために満足を得んとするものであるのに對して、純粋衝動は行爲者自身の自然衝動からの絶對の獨立性、自由のための自由に向ふものである。しかしその故に又それはそれ自身としては全く抽象的な形式的なものであることを免れ得ない。何となればかかる衝動がかりに我々の自己に於て何らかの原因性をもつとしても、それによつては唯自然衝動の要求する處のものが單に生じないと云ふ事以外には前以て何事も思惟さるる事能はず、從つて其所から生ずるものは單なる中止のみであつて、内的行爲としての自己規定以外に何らの積極的行爲も成り立ち得ないであらうから。かくてもし單にかゝる形式的見地にのみ立つて行爲の道徳性を理解せんとするものがあるならば、彼が彼の立場を純粋に一貫する限り、結局單なる無限の自己否定、例へばかの神祕論者が我々は自己の一切をば神に於て失はねばならぬと云つた樣な形式的無我論以上に一歩も踏み出すことはできないであらう。

然し我々に現實なる實踐的道徳的生活にとつて必然的なる自由はかゝる消極的且空虛な自由ではなくて、現實的行爲の根據として定立される處のある積極的な具體性をもつてあらはれる自由でなくてはならない。われわれの具體的行爲に於て實踐的當爲の意識を通じて要求される處の自由は、自然に對する單なる否定的自由ではなくて、この自由なる自己規定者としての自我に於て意志の一定の規定が自然から獨立に定立せられるといふことであらう。生活の具體的內容から遊離して唯山林に逃れ、室內に靜座瞑目することのみによつて得られた悟りがどれほどその人個人の魂の中に平和をもたらし淨福を味はしめるとしても、かゝる溫室的自由にどれだけ强靱な實人生の波濤を乘り切る積極的な力があり得ようか。道德の自由はかくの如き搖籃の中に逃避し睡眠せる自由ではなくて常に所與の質料の中に生き且つはたらく自由でなくてはならない。眠りの中に靜かなる自由でなくて生死の戰の中に不壞なる自由でなくてはならない。換言すれば自由は常に現實的意欲乃至行爲との必然的關聯に於てあるものとして定立されなくてはならない。而してかゝる現實的なる意欲や行爲は常に一定の客觀に關係するものであり、しかも客觀の世界にあつては私は唯自然力としてのみ能作し得るものであり、此の力は私には唯自然衝動としてのみ與へられるものであるが故に凡ゆる可能的意欲の直接的なる客觀は必然的に經驗的なるもの、自然衝動によつて要求されたものである。勿論この場合にあつても意志するものは私であつて自然ではないが、しかし質料の側から云へば私は、自然がもし意欲し得るとすればそれを意欲するであらうやうなもの以外のものを決して意欲することはできないのである(Vgl. IV, S. 147 f.)。

然らば自然衝動と純粹衝動との對立はいかにして統一され止揚されることができるであらうか。フィヒテによればそれは行爲の質料が同一行爲に於て一面自然衝動と一致すると共に他面純粹衝動にも一致するといふことによるの外はないが、道徳的衝動とは將にこの兩者のかゝる結合を成就する所の混合的衝動に外ならないのである。彼によれば純粹衝動は一切の現實的意識にとつては常に自己の彼岸に横はる處のエトワスであり、現實的なる實踐的當爲意識の單なる先驗論的説明根據として定立されたものであるに過ぎない。されば有限的理性體としての我々にとつて直接的に意識される所の高級衝動は道徳的衝動であつて純粹衝動ではない。換言すれば所與の質料に即して一定の客觀の變容をば自己の自由なる行爲に於て實現せんとする衝動であつて、一切の質料的制限を撥無して自由ならんとする抽象的獨立性への衝動ではない。かくして道徳的衝動は一面それの質料をば自然衝動から受けとり、之に關係せねばならぬと共に、他面又その形式をば純粹衝動から受とるものである。後者の意味に於ては、それは純粹衝動と同樣絶對的なものであり、彼以外の一切の目的から獨立に、或ることをば端的にそれ自身に於て必然的なるものとして要求する。其處にこの命法に對する畏敬と命法自身の尊嚴との根據が存するのである(IV, S. 151 f.)。

フィヒテの道德的衝動に關する見解がそれ自身として果してどれだけの理論的價値をもつかに關しては恐らく異論のあることを免れ得ないであらう。彼は自然、純粹、道德の三衝動をば折角三位的關係に於て定立しながら、しかも尙それらの各をば唯固定的性格に於てのみ取扱つてゐた爲めに、辨證法的運動に於けるそれらのものの具體的全體的なる動的關聯をば把握するに到らずして終つた。それは慥かにカントを超へ出んとしつゝ危くも一歩の處でカントの限界にふみ止まつたものであつた。われわれの道德生活は、單に自然衝動と純粹衝動との靜的對立の中間に立つてこれを媒介する混合衝動に於て成り立つと云ふが如きものではなく、むしろ自然衝動がそれの絶對他者たる純粹衝動に於て端的に己れ自身を否定し、この全的否定による純粹衝動自身の死に於て新に甦る處の、死線を超へた生に於て成り立つのでなくてはならない。道德的衝動とは自然衝動と純粹衝動との中間に介在してこれを媒介する固定的靜的衝動ではなくて、自然衝動が自己を出でて自己ならぬものの中に移行し、この移行による自己の全的否定を通じて、自己ならぬものの中にかへつて眞實の自己を見出す處の自己還歸的運動の全體性に外ならない。彼の道德學にあつては此の如き道德の辨證法的性格は尙見出されずに終つたが故にその體系は依然カント的なる分析と演繹とに終始せねばならなかつた。しかしそれにも拘らず彼が道德的生活に於てわれわれの自然がもつ處の積極的意義を常に看過せず、その道德學が現實の具體性から遊離した抽象的形式主義に陷ることから自己を不斷に警戒してゐたといふことだけは上述せる處によつても明かであるといふことが出來ると思ふ。まことに彼にとつては道德的衝動はそれが單に衝動でなければならなかつたのみならず、自然衝動を離れてはそれ自身の存在の具體的意義を失ふ所の質料的形式的な具體的衝動であつたのである。

五

フィヒテが單に感性的なるものに關してのみならず理性的道德的なるものに關

してもその根抵に衝動を見出したといふことは、我々の道德的關心に對する先驗心理學的說明をも亦きはめて容易ならしめた。カントに於ても亦かかる實踐的乃至道德的關心はその事實性に於て認められない譯には行かなかつた。彼は之を、我々の一切の行爲の道德性に必然的なる畏敬の情と直接に關聯するものとして認めはしたが、しかし本來純粹理性的なる客觀的道德法に對して、關心といふが如き情緒的主觀的性格をもつ感情がどうして結びつくことが出來るかといふ問題に到つてはいかにしても之を解くことはできなかつた。これは彼にとつて決して偶然の事ではなく、彼がその分析的二元的見地に立つ限りどうしても避けることの出來ない限界に由來するものであつた。然るにフィヒテに於てはかくの如き困難は最初から成立しなかつた。何となれば或るものがわれわれの關心の對象であると云ふことはそれが直接的にか間接的にか我々の衝動の對象であると云ふことを意味するものに外ならないからである。

フィヒテによれば一切の關心は衝動に基く。私の根本衝動、卽ち純粹存在と經驗的存在といふ私自身に於ける全く相對立する成素がそれによつて一者となる所の根本衝動は根源的なる單なる理念に於て規定せられた自我と現實的自我との一致への衝動である。私の現實的な狀態がこの根本衝動の要求と一致する時には快を生じ、然らざる時には不快を生ずる。快と不快とは要するに此の兩者間の調和又は不調和の感情に外ならない。絕對自己能動性の要求幷びに之と經驗的自我との一致の要求はそれが滿された時には是認の感情を生じそれが滿されない時には否認の感情を生ずる。而して前者は必然的に快と結合し後者は必然的に不快と結合する。それは我々は我々が自らを輕蔑せねばならぬか否かについて無關心であることはできないからである。しかしこの快はかの自然衝動の滿足の感情たる單なる Genusse と混同されることは出來ない。純粹衝動に關しては快とその根據とは何ら自己と異るものではなくて共に私の自由に從屬する或るもの、私が一の規則に從つて期待し得る或るものである。それは私の外なる或るものから感受されるものではなくて、私自身の中に於て感得せられる所の、感覺的快とは全く別種の滿足 Zufriedenheit である。それは前者に比べてずつと落ちついた內的感情であり、しかも其處に特異な勇氣と强靱性とが含まれてゐる。從つて又これに對立する處の內的非難の感情としての不滿も、單純なる感性的苦痛とは比較することの出來ない、自己輕蔑と結合した不快である。彼によればこの根本衝動に基く處の高級なる感情能力こそ我々が普通に良心と呼ぶ所のものである。かくて良心にあつては唯それの Ruhe と Unruhe, Vorwürfe と Frieden とがあるだけで感性的感情としての快不快は存しないと(Vgl. IV, S. 142—147)。

かくてフィヒテにあつては感情は理性の客觀的法則性に對立する主觀的偶然性ではなく、かの衝動に於けると同樣な關係、卽ち純粹感情と自然感情とは互ひに相對立しつゝしかも根本的には一にして同一なる根源的感情に於て統一止揚せしめらるべき關係に於て定立せしめられてゐたと考へることもあながち附會的な推測とは言へないであらう。かくして我々の道德的行爲にありては理性と感情とは必ずしも義務と傾向とに於けるが如き對立予盾の關係にあるものではなく、むしろ感情自身の中にもかくの如き辨證法的關係が成り立ち、自然感情は之に對立する純粹感情に於て自己を全的に否定し、この否定を通じて純粹感情も亦前者に對立する本來の意義を消失し、否定の否定を通じて自然感情はこゝに新なる意味を獲得し生の全體性の中に復活高揚せしめらるる圓環的運動に於てあるものといふことが出來るであらう。もとよりわれわれはフィヒテ自身の敍述に於て此の如き思想への躍進をその完全なる姿に於て見出すことは出來ない。彼はこの點に關しても尙方法的には大體カント的立場に止まり、其の限界の中に閉ざされてゐた。けれども彼が衝動や感情を以て直ちに理性法則に對立する單なる傾向と認めず、これらのものの中にも尙義務と傾向とに於けると同樣な分裂對立矛盾が含まれて居り、それが何らかの仕方で調和され根源的統一に還歸せしめらるる處にわれわれの行爲の道德性が成り立つと考へるに至つたことは、何と云つてもカントの立場に對する大なる飛躍であり創見であつたといふことが出來ると思ふ。

六

これらのことと關聯して、カントが定言命法をば「汝の意志の格率が普遍的法則となることを意欲し得る如く行爲せよ」といふ形式を以て示したのに對してフィヒテが「常に汝の義務をつくせ」(Erfülle jedesmal deine Bestimmung) (IV, S. 150) と端的に限定した言葉が想ひ出される。彼によれば人間には常にそれぞれの位置、境遇、個性等の特殊的事態に應じて要求せられる所の純粹衝動の特定的規定がある。それが卽ち有限的理性體の道德的義務と名づけられる處のものである。たとへかゝる義務の內容は實際に於ては時には明確には示されないことがあるとしても、少くともかゝるものが各人の各行爲の瞬間に於て存在しなければならないと云ふことは否定されることが出來ない。故に上述の命法は實に尙一般的抽象的なものであつて其處には又當然「然らば今此處に汝の義務たる處のものは何か」といふ問題が提出されなくてはならない。此の問題の前に立つ時我々はカントの定言命法のかの範式がもつ處の限界を明確に意識せしめられるのである。義務に關して我々に對して全き普遍的法則の形式を以て嚴密に立言せられ得ることは唯フィヒテの所謂「常に汝の義務をつくせ」といふやうな空虛な抽象的命題のみであらう。まことに實踐の世界にあつては自然概念を類型として考へられるやうな普遍的法則なるものは嚴密には存在することはできない。義務の命法は常にまさにかくかくの事態の下にある此の我がこの時この處に於てなすべきであり又はなすべきでない處のものをそれの全き個別的特殊的具體性に於て示すものである。もとより一定の社會、民族乃至國家には常にそれぞれの歷史的傳統と經濟的政治的機構とに則して、それぞれに特有でありつゝしかもある種の一般性をもつた習俗的道德なるものが客觀的に成り立つてゐることは事實である。道德が常に或る意味に於ては社會道德であり國民道德であることについては我々も決して之を否定するものではない。しかしながらかゝる習俗的なる道德律が眞實に我々の行爲の內的規定原理としての實踐的當爲の意義をもち得るのは、それが單なる客觀的普遍的法則として我々を外から强要することに於て成り立つのではなくて(かゝる場合には Moralität ならぬ Legalität が成り立つだけである)、我々に內なるものとしてその生命の中に一とまづ溶解された後、現實の質料的所與に則して一定の具體的命法の形態を以て我々の前にあらはし出されて來る處に成り立つものでなくてはならない。當爲は常に我々の自己にとつて內的要求でなければならない。國民道德といふもそれは私以外にあつて私をとりまく處のある空間性をもつた社會から押しつけられ强要される單なる習俗的道德ではなくて、旣に過去數千年の民族の歷史を通して我々の血となり肉となつて我々自身の內的生命の本質的要求と一つとなつた處の生き且つはたらく當爲でなくてはならない。從つてそれは唯それぞれの生々たる主體性を通してのみが實に把握さるべきものであつて、客觀化された律法の中に之を直接に求めると云ふが如きことはむしろ本末顚倒といはなければならない。むしろ習俗的道德律といふが如きものはこの特殊的具體的なる內的生命の流動からほころび出でた當爲の現實性から、その個別的特殊性と生命自身の立體的動搖とを捨象することによつて抽象化され客觀化された處の、いはば一種の死せる形骸にすぎず、それ自身の固定的な形體性に於ては何らの具體的道德的意義をも持たないものであるといはなくてはならない。從來の國民道德論者の所說がともすれば舊套なるお說敎として若き人々の要求を滿し得なかつた理由も恐らく此の邊にあるのではなからうか。道德の社會性とか客觀性とかいふことはもとより我々の看過してはならないことには相違ないが、それは決して我我がその空間的周邊を見廻して外部的なるもののもつ威力に從ふといふことではなくて、唯精神がおのれ自身の根抵としての全體性にかへる處の辨證法的運動を通じて成り立つものでなくてはならない。

ともかく現實の私にとつてはこの私の現實に則して唯一の他者が一の規定的命法の形を以て義務としてあらはれる。それは嚴密には昨日の私でも明日の私でもない處の今の私に對立する處の他者としてのみ絕對に必然的なのであつて、それが他の人々に對しても、或は昨日の私、明日の私に對しても同樣に妥當するものとしてあらはれるか否かは問題ではない。もとより環境と時代と幷に人間の存在構造に於ける共通性は、各の當爲意識に之に相應した或る程度の共通性を與へ、從つて之を普遍的形式の下に把捉することの可能を與へはする。しかしかくの如くにして把捉せられた抽象的な道德律は、そのまゝでは何らの實踐的性格をも持たず、單なる道德的認識の客觀として、精々の處で反省的思惟の資料として間接的に我々の意思規定に參加せしめられる處の自然法的普遍概念にすぎない。習俗的律法としての客觀的道德法は唯それが我々の生命內容の中に溶解されて、具體的なる我々の當爲實踐の特殊的全體性に於て生き且つはたらく法則性である限りに於てのみそれの道德的意義をもつのである。

フィヒテがカントの定言命法の第一範式をば批評して、それは實踐に於ける一の發見的原理たることは出來るが、道德性そのものの眞の構成的原理をなし得るものではないと云つたのは此の意味で正當であると思ふ。彼の言ふ所によればカントの、意思の格率の普遍性に關する命法は、余が余の義務の判定に於て誤つてゐるか否かをそれに從つて吟味する所の發見的な原理であることはできるが、決して道德性そのものにとつて眞に本質的な構成的原理をなしうるものではない。それは決して原理ではなく、眞の原理たる理性の絶對獨立性の要求から生じた單なる歸結にすぎない。或ることが普遍的立法の原理たり得るが故に、それが余の意志の格率であるべきではなくて、むしろそれが余の意志格率であるべきが故に、之によつて又普遍的立法の原理たることができるのである。判定は端的に余に基づく。それはカントの命題に於ても明らかである。何となれば或ることが普遍的立法の形式として妥當するといふことは一體誰が判定するのであるか。結局自分自身である。而して如何なる原理に從つて判定するのであるか。余自身に於て横はるものに從つてではないか(IV, S. 234)。と。彼のこれらの言葉の中には彼の思想に於けるいろいろな内容が重なり合つてゐるので之を單なる一面からのみ解釋して終ふことはできないけれども、ともかく彼がカントの所謂形式主義、法則的普遍主義に對して何か滿足し得ないものを持ち、道德性の根據をばもつと深い具體的全體的なるものの中に見出して行かうとする要求のあらはれであるといふことだけは明確に斷定し得ると思ふ。

私が私であることとの具體的本質、人生に於けるそれの眞實の道德的意義と價値とは、私が單に理性的感性的存在としての人間一般であることに存するのではなくて――勿論かゝる在り方は私の現實なる存在に對して一の conditio sine quanon

をなすものであるには相違ないが――更にその上に私が私ならぬものからは區別される所の私自身であることに存する。もし單に一般的法則のみに從つて行爲することに於て私の全存在が盡されてしまふならば、私は單に一箇の普遍的人間であるにすぎず、單なる人間としては存在し得るであらうが、私がこの私として此の世に生を享けてゐることの存在理由は失はれてしまはなければならないであらう。私はどこまでもこの私でなければならぬ。しかもそれは昨日も昨年も常に同一なる實體的普遍としての私ではなくて、昨日の私をすらも既に己れならぬ他者と見る所の具體的な私でなければならぬ。其處に私の行爲に於ける當爲の個別的具體性、絕體に反復を許さない一回限りの普遍的必然性がある。それが個別的でありつゝ普遍性をもちうるのはこの個別が單なる個別でなく自己自身の中に常に具體的普遍としての全體性をば含み、この全體性をば自己の背景として立つ處の尖端に外ならないからである。私は常に全體性をばそれの無限性と無限定性とに於て中に宿し、無限の暗黑を自己の後ろに包藏しつゝ刻々としてその尖端をば規定的にあらはにしゆく處の慧星がもつ運動性にも比較さるべきものであらう。

七

以上私はフィヒテの一七九八年の道徳學がカントの形式主義に對して、道德の具體的實質性の方面に於てどれだけ多くのものを獲得し、理性と感性、義務と傾向、形式と實質との間の關聯と結合の問題に對してどれだけ深く反省の步みを進めたかについて一と通りの考察をなして來たが、要するに彼にあつてはこれらの對立的諸契機の統一への努力の跡が十分みとめられると共に、全體としては尙未だ何らの終局的な見地にまで到達することは能はず、依然としてカント的な分析立場を脫脚することが出來なかつたと云ひ得るであらう。而して此の事の重なる理由として私はこゝに彼が一七九四年以來示してゐる所のカント的主知主義乃至合理論をあげることが出來ると思ふ。

彼の哲學が一の主知說であるといふことはそれが必ずしも單なる主觀主義であるといふことを意味するものではない。例へば道德學の冒頭に於て彼の云ふ所によれば「如何にして客觀的なるものが主觀的となるか、如何にして存在が自己に對して表象されたものとなるかといふ凡ゆる哲學に對して本來的なる問題は、主觀と客觀とが一般に未だ分れずして全く一なる一點が見出されない間は何人にも決して說明されないであらう」(IV, S. 1)と。フィヒテ哲學の全體系はまさにこの主客未分の一點を定することによつて、其處から全體の命題を體系的に導出せんとするものに外ならなかつた。しかし本來主客未分なるべきこの根源點は彼にとつてはまた Ichheit であり、Intelligenz であり、Vernunft でなければならなかつた(ebda)尤も彼自身の言ふ所によれば自我に於ける主客のこの根源的同一性は單に推論されたものであるにすぎず、決して直接的に現實的意識の事實として確證されるものではなかつた。現實的意識の成り立つ處には、たとへそれが單なる我々自身の意識に過ぎない場合でも既に分離が成り立つてゐる。私が意識するものとしての私を、この意識の對象としての私から區別する限りに於てのみ私は自己を意識する。意識の全機制は要するに主觀と客觀とのかゝる多樣なる分離と統一の諸見地の上に成り立つものに外ならない。然らばかゝる分離(從つて又統一)以前の根源的同一者に對して彼はいかにして自我性とか知性とか理性とかいふやうな根定を與へることが出來たか。彼はこれを以て現實的意識の事實ではなくて唯推論されたものであるにすぎぬといふが、推論といふことが既に主客分離の立場に於てのみ可能なる以上、それはかゝる根源的同一性に對しては妥當せざる認識方法ではないか。我々が認識作用をば一の主觀として定立する時、それは既に主觀として認められた一の客觀であり、眞の主觀は更にその根抵に沈下してしまつてゐるやうに、我々が自我性をば主客の對立以前のものとして表象し試た見た處で、それがかゝるものとして一の限定を特つ限り嚴密に主客未分の一者としての性格を保つことは不可能であらう。否それは眞實には主客未分の一者といふが如き限定をすら撥無するものでなくてはならないであらう。われわれが知性とか理性とか自我性とかいふ時これらの言葉が我々に對して何らかの意味をもつのは、それがこれらのものでない處のものから區別される處の一定の性格をもつものとして限定されるからに外ならない。もしそれがかゝる對立者との區別や限定をも撥無するものであるならばこれらの名稱は結局無意味にすぎず、これに否定的に對置される處のものの名稱をもつてこれに換へても差し支へない筈である。もしそれがかゝる轉換を許さないとするならばそれはやはり對立相對の世界にあるものであつて、對立を超へた根源的一者としての優位を保つことの出來ないものであることは明かであらう。

尤もフィヒテはかかる非難に對しては決して其のまゝに承認するものではなく、恐らく彼の得意な能動性の自覺自我の知的直観の思想を以て次の如く答へて言ふであらう。主観と客観との根源的統一への推理は成るほどそのままでは之を何處まで伸しすゝめて見た處で無限の反復を重ねる以上に何の意味もないことに相違ないであらう。摸寫說的見解をとるものにとつて客観の奥に無限數の客観が規定されなければならない樣に、観念論的見地に立てば主観の根底に無限數の主観の系列が打ち建てられなければならないといふ風にも一應は唯にも考へられるであらう。しかし我々の自我はかやうな反省的思惟の無意味なる無限連續に終るやうな空虛な形式的ではなくて、作用が作用のまゝに端的に自覺せられ、はたらきがそのはたらき自身に於て直ちに直観せられる處の自覺的能動性である。自覺にあつては直観と反省とは一にして同一なる結合をなしてゐる。そこでは主観は主観のまゝで客観であり、客観はそれが客観たるまゝで同時に主観である。この主観・客観としての自我こそまさに上述の主観の根源的統一としての自我性、知性乃至理性に外ならないのであると。

しかしかくの如き彼の所謂 Subjekt-Objekt としての自我はそれが自我であると

共に自我の客觀として定立されるといふけれども、結局それは作用の自覺といふやうな抽象性を帶びたものに外ならず、用語の眞實なる具體的意味に於ての客觀乃至對象を自己自身の中に含んだものといふことはできない。か丶る作用の自覺といふものが考へられる反面には常に又これに對する對象の Sich-bestehen といふやうなものが考へられてゐなければならない。客觀の客觀としての眞實の意味はそれが主觀の中に包含し切ることの出來ない獨立性をもち、主觀に對立し、それの外なるものとしてそれに迫り、それを强要し、それを殺すといふ處にある。然るにフィヒテはか丶る絶對對立としての客觀をば暫らく捨象し（彼によれば自我は單なる主觀ではなくてむしろ主・客觀であるといふのであるが、しかしそれが非我ならぬ自我として定立さるる限り其處に一の主觀性が成り立つてゐることは否定されることはできない）、能動的自我の自覺に於てこの兩者の對立を撥無する絶對統一を求めそこから全知識學の體系を導出しようとしてゐる。私は其處にむしろ彼の哲學的思惟の全體に於ける抽象性が由來してゐるのではないかと思ふ。我々にとつて具體的に體驗せらるる能動性は常に自己自身以外のエトワスを指向する處の客觀的能動性であり、フィヒテの所謂 Sehnen と雖も唯このエトワスが規定的でないといふだけであつてそれが自己以外のものに向ふと、いふ點に於ては變りがない。それは主觀の側から見れば自ら一定の客觀に關係しこの客觀を規定せんとする能動性であると言ふことができると共に、又客觀の側から言へばこの客觀によつて規定されるといふ運命をもつた相對的能動性である。單なる能動性の純粹能動性としての自覺といふが如きものはこの客觀的能動性に於けるノエマ面を暫らく捨象し、ノエシス面のみを思惟に於て抽象することによつて得られた反省の所産にすぎない。それは勿論はたらきに於けるはたらきそのものの自覺といふ意味に於ては知的直觀といふこともできるかも知れないが、客觀をはなれてそれ自身で獨立した能作を營み得るやうな具體性をもつたものではない。此の意味に於ては彼の當時の知識學が主觀的觀念論と呼ばれて非難されることにも全く理由がない譯ではないと思ふ。

この點に關して重要な反省を與へるものとして、私はヘーゲルの精神現象論から二三の暗示的なことばを取り出して來ることを許して貰はう。まことにヘーゲルが云つてゐるように眞理とは常に全體であり、自己展開によつて自己を完結しつゝある處の實在の運動の全體性に外ならない。フィヒテの第一根本命題に於けるような單なる始源乃至原理としての絕對といふが如きものは、それの無媒介的な形態に於ては唯一般者にすぎず、この種の命題にあつては眞理は無雜作に自我として定立せられるだけであつて、內容そのものが展開する運動の全體性としては立せられないが故に、たとひそれが眞である場合でも單なる原理たるにすぎない限り、同時に又僞でもあるといふことができるのである。眞の學的認識にあつては主體は常にそれの對象の中におのれを沒し去つて、其處にはじめて眞實なるおのれ自身の姿を見出す處の自己還歸的運動であるが故に、絕對者はその本質上始源に於てよりはむしろ終局に於て始めてその具體的な眞理性をあらはにするものである。道德の根據をば單なる理性法則の一面にのみ置かんとする概念論哲學一般に普通的なる傾向は此の點に於て今一度自己の立場そのものを反省し直さなくてはならない。一般に形式主義は、或る與へられた形態について或る圖式的規定を之に與へるといふことだけで、此の形態の本性と生命とを把握したかの如くに考へるものであるが、かゝる事は少くとも生々たる道德現象に於ける善と惡との展開をその運動の具體性に於て把握し得る所以ではない。現實の道德的生活の野にあつては花は單なる赤ではなく草は單なる綠ではない。その一本一本が根を大地の中に下ろし莖を太陽に向つてのばしつゝ、自らの生命を以て不斷に吸收同化、生長繁殖の作用を營みつゝある處の個體の運動性である。凡ゆる天上のものや地上のもの、精神的なものや自然的のものに理性とか感性とかいふ樣な一般的な圖式規定をばレッテルの樣にはりつけて之を排列して見た所でそれで個體的なもののもつ生命の具體性が明かにされるものではない。行爲の道德性に於ける善と惡とは白が黑から一義的に區別せられるやうな意味に於ての單純不動な對立ではなくて、われわれの精神がその個別的なる生命の具體的展開に於て、不斷に相交錯しつつ漸次にその姿の全體性をあらはしゆく處の相關聯せる二面に外ならない。義務と傾向、理性と感性、善と惡といふような對立は、その靜的なる形態の抽象的普遍性のままでは、かの骸骨にはられたレッテルと同樣何らの具體性をも持たぬ單なる圖式にすぎないのである (Vgl. Hegel, Phänomenologie des Geistas, Vorrede)。

カントが道德の本質は唯純粹に(一切の經驗的なるものの混合を洗ひ去つて)理性の概念を分析することによつてのみ明かにされることが出來ると考へた樣にフィヒテは又事行としての自我の概念を純粹に展開することによつて我々の凡ゆ

る實踐的當爲の意識の根據を明かにすることが出來ると考へた。自我は單なる物のやうな何らの固定的な存在でもなくて一のはたらきであり、且このはたらきの自覺である限りに於て一の自覺的能動性である。其處に自然に於ける物の必然性とは異る原因性が成立し、自由に基く目的論的原因性の可能が生れる。彼によれば一切の道德的强要の根據はまさにこの自由にあるといふのである。しかし彼自身ものべてゐるやうに自我理性體は彼が將に其處に向ふ處の彼の外なるエトワスを同時に思惟することなしにはいかなる能力をも自己に屬せしむることは能はず、又自我の自由はそれが現實的に實行されるのでないならばそれを己れのものとして定立することはできない(IV, S. 75 ff.)のである。要するに自我は唯自我ならぬもの、自我から根源的に區別される處のものに對立することによつてのみ自我であり、それがもつ處の自由は單におのれ自我に止る處の空虛な自體性に於て成り立つ處の自由ではなくて、むしろこれに對立する處の非我の中に己れを移行せしめ、その中におのれを沒入しゆくことに於て、かへつてそれ自身も自由を獲得すやうなものでなくてはならない。

されば自我の本質をば非我への關係を離れてそれ自身の抽象的遊離性に於て

見んとする　あらゆる觀念論的哲學は、非我の存在をば自我との關係を離れてそれ自身の抽象的存在性に於て見んとするあらゆる唯物論的哲學と同樣、存在の具體的全體性をつくすものではない。これを道德學に關して云ふならば道德の本質をば質料的對象への關係を離れて純粹に理性の概念それ自身の中に求めんとする主觀的合理論は、能動的理性の創造作用への關係を離れて質料的なる價値自體の中に之を求めんとする客觀的合理論や經驗論と同樣、一面的抽象的理說たることを免れ得ないであらう。もとよりフィヒテの哲學はかくの如き單純なる主觀的合理論ではない。その知識學が自我と非我との複雜なる相互作用の辨證法的展開の上に成り立つものである樣に、その道德學は純粹衝動と自然衝動との對立矛盾の相互的關係乃至交涉の上に行爲の道德性の具體的意義を見出さんとするものである。しかし又他面彼が自我の本質をば單に非我に對置せしめらるる有限相對我として之を見ることに滿足せず、之を以てかゝる相對々立の世界を超へてそれ自身に於て絕對的なる自覺的能動性と見、全知識學の最高原則をなすものと見た限りに於ては、それが一の合理論的發出論の性格をもつものであつたことはいかにしても否定されることが出來ない(昨年度拙稿參照)。かゝる合理論の上に立つ限りその道德學が、一切の道德的行爲をば自由なる自我の直證としての理性の能動性の上に端的に基礎づけんとする努力としてあらはれたことは怪しむに足りない。彼の知識學や道德學が難解であると言ふことは、彼が一面に於て自我と非我、純粹衝動と自然衝動との根源的對立に於ける兩者の關聯をばそれの辨證法的運動に於て展開せしめんとしつゝ、他面これらの兩者の關聯に於ける根源的統一をば自我性乃至理性なる合理的側面にのみ認めやうとした矛盾に基くことが少くないと思ふ。カントにとつて感性と理性とがその生所を全く異にする異質的なるものであつたやうに、この兩者はその根柢から相對立し相爭ふ處の絕對的他者としての我と汝の關係にあるものでなければならない。此の兩者をば單に衝動といふやうな名稱上の一致によつて結びつけて見た處でそれだけでは恐らく凡ての牛を黑くする暗夜の中に投げこんだといふこと以外に何らの意味をも持つことはできないであらう。況んやこの根源的同一性を以て理性となし自我性となすことは、自我が自我として持つ處の具體的辨證法的意義を失はしめ、これに對立するところのものをしてその本來の居所に迷はしめるといふ結果に終るの外はないであらう。理性と感性とは、この兩者の未だ分れざる根源的一者の中に單に埋沒せしめらるることによつて統一されるのではなく、むしろこの兩者の絕對々立に徹する生死の戰を通じ、他者に於ける自己の否定がやがて又否定の否定を通じての大いなる肯定として甦る所に成立つのでなくてはならない。この辨證法的運動はたしかにその根源に還る處の自己還歸的圓環をなすものではあるが、それは單に過去に歸り後方にしりぞくことによつて成就されるのではなくてむしろ分裂せる彼らの道を大膽に前進することによつて成就されるのでなくてはならない。自己に還ることは同時に新たなる高き自己を建設することであり、無限の反復はやがて又無限の創造であるといふ意味をもたなくてはならない。

八

フィヒテの道德學に於ける合理論がもつ處の限界を明かにする一つの手段として更に私はこゝに彼の義務論をとりあげて考察して見ることにしたいと思ふ。

先にものべたやうに彼にとつて行爲の道德性の形式的制約をなす處の定言命法の範式は「常に汝の義務をつくせ」(IV, S. 150)といふことであり、「常に汝の義務の最上の確信に從つて行爲せよ」(IV, S. 156)といふことであつた。然らば義務とは何か、それは單に我々を强要する處の當爲必然といふ形式的性格をもつのみならず、更に內容的にも我々を一定の方面に向はしめる處のある質料的限定性を持つたものでなければならない。卽ち義務は單なる義務一般としてではなくして常に一定の義務としてのみ我々を强要する力をもつてゐるのである。扨フィヒテによればば自我の先驗論的本質は自覺的能動性としての理性にあり、理性の本質はそれの絕對獨立性としての自由にある。我々の道德的實踐に於ける當爲は我々がかゝる自我でなければならぬこと、絕對獨立的なる自由體でなければならぬことに存する。然るにかゝる自由は我々有限的理性體にとつては永遠に實現すべからざる理想たるにすぎず、努力の目標として無限の彼岸に常に輝きつゝも遂に到達することの出來ないものであるが故に、我々の現實的行爲に於ける規定的な義務はかゝる理想を直ちに實現することにあるのではなくて、唯それがそれの繼續を通じて自我の獨立性の理想を實現し得るやうな行爲の系列中に見出されるといふことにある。換言すれば行爲はそれが絕對獨立性を意圖する時、卽ちそれの繼續によつて自我が獨立的とならねばならぬ樣な系列中に横はる時純粹衝動に適應するものとなるのである(IV, S. 149)。然らば我々の現實的行爲に於て一つの系列、卽ちそれの繼續によつて自已を絕對獨立性に接近せしめるものと思惟し得るやうな一つの系列が成立しなくてはならない。而してこの系列は個人が一の自然的存在として置かれる最初の點から無限の彼岸に到るまで(理念上)規定せられたものである。かくてあらゆる可能的な場合に於て我々の行爲が純粹衝動によつて强要せられる所のものは常に規定的でなければならない。もとより此の系列がいかなるものであるかは我我には必ずしも明確に表象される譯ではないとしても、少くともかゝる系列が存在せねばならぬといふ事だけは我々にとつて必然的でなければならない。フィヒテにとつて有限理性體の道德的義務とは應にこの系列の規定性に外ならなかつた。從つてかゝる義務の內容をなす處のものこそ行爲の道德性の實質的制約をなすものに外ならなかつたのである(Vgl. IV, S. 149 ff.)。

以上の如き見地から彼は義務の體系をばそれの終局目的たる理性體の自由の概念から一義的に導出せんとした。例へば我々の肉體はそれ自身何ら終局目的たり得るものではなくむしろ後者の實現に對する手段にすぎないが故に之を自己目的として取扱ひ、或は單なる享樂のための客觀として用ひてはならぬこと、又肉體は自我の自由といふかの終局目的の實現のために積極的に役立つ樣に出來るだけ敎養されねばならないといふが如く。かくて彼は義務をば無制約的と被制約的、普遍的と特殊的等に分類しつゝ實質的義務の全體系をば理性の絕對獨立性といふ同一原理から導出しようとしたのである。

私は今これらの義務の內容の一々に立入つて論究する餘裕をもたず又その必要をも持たないが、彼が一切の義務をば理性の絕對獨立性なる目的論的原理から演繹せんとしたといふことに關しては大いなる疑問をもつものである。我々の無限に豐富なる生活內容の一切に對して規定的意義を有する實踐的義務の全內容は果して彼の言ふやうな單なる形式的目的原理によつて端的に包藏し盡し得られるものであらうか。もとより自由は我々の行爲の道德性にとつて必然的且普遍的なる形式であり從つて凡ての道德的行爲は自由から發し自由に向つて進んでゆくものであるといふことはできるであらう。しかしそれは何處までも行爲の單なる形式的一面にすぎず、それだけによつて行爲の道德性の具體的全體性をつくし得るものではない。自我の終局目的は單なる自由といふやうな抽象的概念をもつて盡し得られるものではなく、又自然的時間に於ける目的と手段との一定の系列を通じて實現せられるといふ樣な單なる經驗的時間規定の制約の下に立つものでもない。我々の道德生活は單なる自由からの實踐、或は自由への實踐ではなくてこの自由に對抗して之を脅威し之を否定するものとの關聯に於けるある規定的なるものの實現である。この規定的なるものとは、我と汝との辨證法の動的關聯としての世界の無限定性の底から無限の內容性に於て夫々の行爲に個別的具體的に規定されてくるものであつて決して單なる自由の形式のみによつて規定されるといふやうな單純なものではない。フィヒテやカントの實踐哲學が抽象的個人主義であるといふ批難の生ずるのも恐らくはその深き根據を此の邊にもつものではないであらうか。

もし又フィヒテの云ふやうに我々の行爲の終局目的が唯自我の自由又は理性の獨立性のみであり、その他の凡てのものはこの唯一の制約の下にのみ意義と價値とが與へられる處の被制約的偶然者にすぎないならば、我々の現實的なる道德的行爲がもつ處の價値は、それの結果によつて判定されるものとなり結局皆單なる手段的意義を有するにすぎないものとなり、行爲の道德性にとつて本質的なる自己目的々自律的意義は失はれてしまはねばならないであらう。かくてはカントが實踐理性批判に於ける方法の逆說として高調した處のもの、即ち善及惡の概念は道徳律の前にではなくて、その後に又それによつてのみ規定せられねばならない(K. d. p. V., Cassirer 版 S. 82)といつた實踐哲學に於けるコペルニカス的轉回の意義は再び沒却されてしまはねばならないであらう。我々の行爲はそのいと小なるものと雖もその一一がそれ自身の中に絶對の意味を持つたものでなくてはならない。換言すれば何らか他のより高き目的に對する手段としてでなしに、自己目的としてそれ自身の中に永遠なるものへのつながりをもつたもの、それ自身に於て終局目的たる處の意味を包藏したものでなくてはならない。それでなくてはそれは「行爲」といふことの本來的な意味をもつことは出來ないであらう。無限者は有限者の時間的系列の連續の彼岸に於て實現されるものではなくて、有限なる現實的行爲の底に見られるものでなくてはならない。我我はその刹那々々の行爲に於て無限なる世界に觸れ、永遠なるものの中に足を踏み入れてゐるのでなくてはならない。現實の私にとつては今日の生活は決して明日の生活への單なる手段ではなくてむしろ、今日一日の生活の中にこそ私の全存在をつくす絶對の意義があり、その念々切々の瞬間に於て神と相語り神の中に抱かれて生きるといふ意味をもつてゐるのでなくてはならない。神の國は前にあるのではなくして後ろにあり、天上に聳ゆるものではなくて大地の奥にひそむ。道德的行爲が凡て無所得であるのはそれ自身の中に無限の所得が含まれてゐるからである。布施の行爲によつて眞に獲得するものは布施されたものではなくて布施者自身である。まことに我々は一人の貧しき隣人の手を握ることに於て神と握手してゐるのである。

かくて自由は行爲の無限系列を通じて後に實現さるべき目的といふが如きものではなくて、むしろ一々の行爲の瞬間に於てその底に見られる處の形式的制約である。しかも行爲の本質はそれの具體性に於てはかくの如き單なる意志の形式性につきるものではなくて、常に之に對立する實質的規定性をもち、この兩者の絕對々立的相互的關聯に於てのみ成り立つ、この實質的規定性は自由の形式に對して常に絕對他者としての意味を含むものであるが故に、かかる形式性からはどうしても演繹することの出來ない非合理性をもつ。一般にはこの非合理性はわれわれの道德生活に於て克服さるべきもの、この克服に於ける自然の合理化によつて人類の向上と進歩とが成り立つといふ風に單純に考へられるが實は決してかかる單純な一面的關係に盡きるものではない。非合理的なるものは單に合理的なるものに反抗して、おのれ自身の非合理性のまゝなる自存を主張するのみではなくて、合理的なるものの前におのれの全體を投げ出すことによつて、かへつて彼自身の本來の非合理性を深く生かすのであり、合理的なるものは又單に非合理的なるものに對立的に固定して自己の形式的獨立性を保つものではなくて、むしろおのれ自身をば非合理的なる質料性の中に沒入せしめることによつてかへつて彼自身の具體的自由をば獲得するのである。かくて道德の世界に於ける理性的なるものと感性的なるものとの對立は固定的に靜止した絕對二元の對立でもなく、單なる主客合一といふやうな形而上學的實體によつて融合せしめらるべき相對的對立でもなく、これら兩者の絕對對立に於ける相互的絕對否定の辨證法的世界に於ける無限の運動としてのみ全的に把捉せられ得るものではないかと思ふ。かく理解することによつて初めて道德が單に個人内面の主觀的意志につきるものではなく社會的歷史的側面を持つことに於て眞實に具體性を得る所以も明かとされることができるであらう。フィヒテはこの點に於て尚カント的主知論の立場を忘れることが出來ず、道德の根據をば唯理性的なるものの一面にのみ求めんとしてこれに固執したが爲めに一の主觀的合理論に陷り、これをその生々たる全具體性に於て把握することの可能を自ら絶ち切つてしまつたのである。

九

私はフィヒテの道徳學がもつ處の上に述べたやうな限界は單にフィヒテのみが背負ふ處の偶然的なものではなくむしろ分析的な先驗論的倫理學一般に對して運命的な必然的限界をなすものではないかと思ふ。道徳の本質をば單に分析的な立場から見る限り理性と感性との絶對對立性は必然的でなければならず、兩者の單なる混同は結局カントの所謂自然的辨證論(Grl. z. Met. d. S., Cassirer 版 S. 24)に陥るの外はないであらう。而して一度これを區別し對立せしめた以上、その何れを道徳的價値の本質を形成するものとしてみとめるかといへば之を感性の側面に求め得ないのは當然といはなければならないであらう。しかし現實的なる我我の具體的道徳意識にあつてはそれはかゝる形式的區別によつて端的に基礎づけられ説明さるべくあまりにも豐富な内容をもつた生命の運動であり動搖である。私はむしろかくの如き無限の運動に外ならない處の生命の具體的内容の展開をば一の靜的な根本原理とか概念とかいふものによつて端的に基礎づけ、そこから學の體系をば演繹的に導出せんとする從來の倫理學一般の方法が果してその內容に對して應はしいものであるか否かについて大なる疑問をもつものである。(Vgl. Bergson, Introduktion à la métaphysique, Revue de métaphysique et de morale 1913 s.27) 精神の具體的內容の展開としての立體的なる不斷の運動性をば橫斷し或は縱斷してその切斷面にあらはれたる圖形をどれだけ正確に分析して見た處でそれによつて生あるものの本質をあらはにすることはできないであらう。われわれがもし道德をばその具體性から遊離せずにこれをその生きた本質性に於て把捉せんとするならば、自己を第三者の地位に置いてこれを切斷し觀察するかはりに、むしろおのれの身をその內容の運動の波の中に埋めてその中に沒し去り、辨證法的なる內容そのものの自己運動に於て之を捉へるべきではないであらうか。もし然りとすればカントの先驗論的倫理學に於ける形式主義を眞實に克服するものは、むしろかのベルグソンによつて示された流動の哲學、或はヘーゲルの精神現象論によつてその形態が暗示されて居るやうな辨證法的道德學乃至 Phänomenologie der Moralität と名づけらるべきものではないであらうか。まことに善と惡とは劃然と分たれた人生の二部門と云ふが如きものではなくて同一なる精神の辨證法的運動の發展に於ける明暗二相の動的交錯に過ぎず、種子がなくては植物がなく、植物なしには種子も亦あり得ないやうな動的關係に於てあるものとしてのみ理解せられなくてはならない。ラスコーリニコフから殺人をのぞいて彼の性格に於ける具體的な善を見ることが出來ず、ネクリュードフから姦婬を取り去つてあの深き自己反省に徹した生の純化を求めることが出來ないやうに人間の眞實の善は唯惡を踏み越へる者のみのよく深く透徹し得る世界ではないであらうか。親鸞の宗教が惡人往生の宗教であつたのはむしろ救濟を絕する深き罪業の意識に直面しておのれ自身の底なき惡にうちをののく者のみが神を見ることができるといふ宗教一般の普遍的性格を示すものとして當然なのではなからうか。まことにわれ／＼の善はその善の意識に於て直ちに亦自負の驕慢の惡であることの惡は又その反省を通すことによつて直ちにより高き善への止場を含む。一事に於て善なるものもその一事に於て止ればその靜止それ自身が既に惡であり、惡に徹しゆく者は、その惡の徹底によつてのみ可能なる善の世界を開く。我々にあつては固定し恆常的なる一の善もなく、一の惡もなく、ある所の凡てのものは善によりて惡であり、惡によつて善なる不斷の運動、何れの人として醉はざることなきバッコスを祭る人々の狂亂のみである。誰か婦を見て姦婬の心を起さないものがあらうか。誰か自ら一人の人をも殺さないことによつて千人を斬りし者を咎め得る者があらうか。私達は自己の反省が深まれば深まるほど其處に大なる惡の力を見出さずには居られないであらう。しかも此の惡の魔力こそ私達をしてすぐれた善への飛躍を可能ならしめる推進力である。われ／＼の人生は惡から善への單純なる漸進的向上の歩みでもなければ、又善から惡への直線的な漸次的墮落の系路でもなくて、闇の中に光りを見、光りの中に闇を見る處の、限りなき飛躍と轉回が織りなす處の複雜限りなき善惡の交響樂である。而して此の交響樂をばかゝるものとして展開せしめる動的原理は實踐的意志の辨證法に外ならず、其處に展開せらるゝ運動の具體性は唯道德現象學云ふやうな形態に於てのみ具體的に把捉せられうるものではないであらうか。われわれの主體性は決して單純に主體性のまゝに把捉されるものではなく、唯それの現象的なる意志の辨證法的運動の實踐を通してのみ把捉されるものではなからうか。

しかしかゝるヘーゲル的なる（これは勿論歷史的なるヘーゲルを單にくりかへ

すことではなくて、一つの新たなる學の創造といふ形態を持たねばならないであらう)道德現象學への歩みを進める前に我々はフィヒテがその後の發展に於て示した具體的道德學への努力の跡を看過することはできないであらう。彼の一七九四年以來の合理論的自我哲學は一八〇四年の知識學を轉機として更に深化されて自我と非我との對立を止揚せる絶對無の否定神學となり、これと關聯して彼の晩年に於ける道德學はその合理論的抽象性を克服して全く非合理論的な具體性を獲得せんとしてゐる。我々は稿を改めて何時の日か又これらの諸問題の論究に入るの機を得たいと思ふ。(昭和十年三月)

彙報

比律賓大學總長就任式並に極東高等教育會議に列席して

伊藤猷典

昭和九年十二月十七日、米領比律賓マニラ市フィリッピン大學に於て新總長ボコボ氏の大學總長就任式か擧行せられるのでそれに參列し、又翌日より三日間同大學に於て開催される極東教育會議に列席し、同時に同國の教育事情を視察し、併せて兩國間の、特に隣接地たる臺灣との親善の增進に資せようとの目的を以て、上司は小官に出張を命じられました。それで自分は十二月五日臺北出發、途中、厦門、汕頭、香港を見學、十三日マニラ着、前述の大學總長就任式に列席し、極東高等教育會議に於て講演し、更にマニラ大學とロスバニオスにあるフィリッピン大學農學部に於て學生の爲に講演をなし同月卅日マニラ出帆歸途につき、本年一月三日歸任しました。マニラ滯在中、招待を受けたること比島人より受けたるものと、日本人より受けたるものとを合計して、午餐十回、晩餐四回、御茶の會五回、舞踏會二回でありました。御蔭で各種の人々に逢ひ、彼此の理會に、又親善に得る所多大でありました。以下記する所は一月廿六日、本學に於て主題の下になせる報告講演の原稿であります。

一　受命より仕事の確定まで

出張の内命を受けました時の要點を申しますと、極東高等教育會議がマニラで開かれるので、それに出席せよ、マニラでは十年後に獨立國となるので、その爲新教育制度確立に就て日本を參考としたいから是非代表者を出してほしいと、マニラからサントス、ベニテス兩氏が態々日本にやつて來たのだ。代表者の人選に際し、總務長官が日本精神について說きうるのかとの質問があつたが、帝大教授は誰でも日本精神は說き得ますと答へて置いた、その積りで用意せよとの幣原總長の御話でありました。

それで準備としては、第一に講演の原稿として日本精神、並に日本教育の根本特徴に關するものに主力を注ぎ、第二には新教育制度確立についての意見如何と問はれた場合の用意にと思ひまして、フィリッピンの歴史、並に現狀、比律賓と類似の國の教育の現狀などを調べ、第三には日本と比律賓、特に臺灣と比律賓との關係について知る必要ありと思ひまして、有史以來のことは勿論のこと、有史以前のものとして地質學上、土俗學上、言語學上の事柄につきましても夫々專門の御方を煩はして所謂高等常識だけは備へることに務めました。

次に學界であるからには何かペーパーを讀まなければなるまいとは内命のあつた當初、總長からも御話があり、大島代表からも同樣の通知がありましたので、且この學界での講演はまさか御國自慢でもあるまいと思ひましたので、專門の事項について別に英文で認め、用意して置きました。

かく用意して出發、香港まで行き、大島氏と落合ひ、共に領事館を訪ねると、マニラの木村總領事から私共宛に電報がきてゐまして、一般問題について三十分間、特殊問題について一時間、なるべく英語で講演せよとの通知がありました。學界の講演で一時間とは長い事だと聊か不審を抱きながら、且船中では英文の原稿を考へながら、マニラに到着しました。

宿で旅裝を解いた後、總領事館に赴き、木村總領事、マニラ大學總長サントス氏、フィリッピン大學教育部長ベニテス氏、公式案内役デュラン氏と相談の結果、我々の仕事は定まりました。

大島代表は、大學總長就任式に祝辭を、フィリッピン大學で Convocation Address を、學界では特殊問題を講演せよといふことに定り、私はマニラ大學と、ロス・バニオスの大學で Convocation Address を二回、教育學會で特殊問題について一回と合計三回、英語で雄辯を振はなければならないこと〻定りました。

但し英文を作ることについては南加州大學出身の第二

世に山縣君といふ人が居て助けてくれる事になつてゐたので、その方の心配はありませんでした。

こちらで用意し、且主力を注いだ日本精神に關するものは日本語で話まして二時間餘、通譯をつければ五時間近くかゝるのであります。

僕はかく／＼の原稿を持つてきたのであります。何とか利用出來ませぬかと申しましたら、木村總領事は通譯をつけることは絶對にいけませぬと言ひ、ベニテス氏は二時間も立て續けに演説されたら皆眠ります、英譯して出版して下さいとの話。遂にこの原稿は滯在中には利用せず、英語に飜譯方を依頼して歸つたのでありました。

二　大學總長就任式

大學總長就任式は、新たに作られた Campus の内で行はれる豫定であつたのが、急に變更されて、狹いビラモール・ホールと稱する音樂堂で行はれました。場内は立錐の餘地なく、可なり多く場外にあふれてゐました。

その時の服装はと申しますと大學關係のものは何れもガウンを着し、四角な帽子を被ります。大島代表も私も、シルクハットや燕尾服を用意して行つたのでありますが、それは不用でした。ガウンと帽子を借り、それを着て出席致しました。

式の始りますのは午後の四時半からです。

開會の音樂が止みますと壇上の中央に座した司會者である

1. 副總督兼教育局長ヘイデン氏が立つて、

「フィリッピン大學監督局に代つて自分は皆樣に挨拶をする。知名なる方々の御出席によつてこの式は一段の光彩を放つ。フィリッピンや他の國の大學の方々の御出席に對しては特に感謝の意を表したい。

この式に知名の士が多數に、他國からも代表者の出席されたことはボコボ總長の大學總長就任式が歴史的出來事であることの證左である。」

その他、新總長の諸種の德を稱へた後、日本及支那から代表者の出席したことに對して特別に感謝の意を表しまして、次に次の辯士を紹介されました。

2. 段支那總領事の祝辭、

大昔から支那とフィリッピンとは人種的に、經濟的に、社會的に、文化的に結合してゐた。而して支那はフィリッピン人の幸福增進の爲に最善を盡してきた。今後も一層さうありたい、云々と述べました。

3. 大島日本代表の祝辭

"At the invitation of the Board cf Regents of the University of the Philippines, the Universities of Japan galdly sent their representatives to attend the inauguration of the Honorable Dr. Jorge Bocobo as President of the University of the Philippines. Professor Yuten Ito of the Taihoku Imperial University and my humble self are highly honored to be with you on this most auspicious occasion, and in behalf of the different institutions of higher learning in Japan, which we have the honor to represent, we have the pleasure and the privilege to extend to the distinguished educator, Dr. Jorge Bocobo our most hearty congratulations and to wish him all success in his administration. The people of the Philippine Islands must also be congratulated for having made the right choice in Dr. Jorge Bocobo to head the University of the Philippines. In Japan, Dean Bcodo is not only well-known in the field of legal education but also in national movements towards the realization of your golden dreams to become free and independent. At this time when the birth of a new nation is about to take place, I mean, the Commonwealth and later on, the Republic of the

Philippine Islands, you most certainly need a man, like Dr. Bocobo, at the head of your University of the Philippines, where the youth of land are prepared and moulded to become good citizens and leaders. We have, therefore, no doubt that with his leadership, backed up by long years of experience in educational pursuit and spiritual well-being, the University of the Philippines will occupy a very high place in the sisterhood of the universities of the world."

4. サント・トーマス大學總長タマヨ氏の祝辭

大學總長たるには二種の資格を必要とする。第一には知的訓練であり、第二には青年訓練についての長き經驗である。

第一の點に於ては新總長は留學生として合衆國に行きて法律を勉强し、合衆國で法律家として立ちうるやうに許されたる稀に見る學者であり……

第二の點では、彼は敎授であり、又法學部長も勤めてゐたことがあり……とのべました。

5. フィリッピン總督マルフィー氏の祝辭

氏は新總長の德を讃へ、知育の偏重を排し德育の並行を說いてゐます。

6. 憲法會議の議長レクト氏が原稿なしで非常に雄辯に祝辭を述べました。述方が又變つてゐました。

「新總長ボコボはタルラックといふ田舍の貧乏人の倅で、村の質素な生活で育つてきたのだ。從つて本當の意味の人民の代表といふことが出來、無名の群集の思想や感情を知るには都合がよい」とか、「泥田の中で草取をやつてゐる貧乏人の子供に今日の壯觀なる就任式を見せてやれ、お前達でも出世をすれば斯くなるといふよい敎訓になる」と述べてゐました。

7. 新總長ボコボ氏就任講演

自分は人道の爲に議したい。學校に於ては禮儀作法、教授法の改善、學生指導、文化、宗教々育、最終試驗前の讀書時間等について斯く〳〵の案を持ち、就任以來着着實行しつゝあると述べました。

禮儀作法の問題の一例としましては、道であつた教官に對しては挨拶をするといふことである。自分がこの運動を始めるべく餘儀された所以のものは、國民の立派なる傳統を保存するといふことは教育の義務であり、我國民の遺產の一は師長に對する尊敬の念である。かゝる小さな行爲をもなすやうに生徒に要求した。これは恰も路傍の花の如く、疲れた人の心を慰むるものであるからと。

右のやうな、學校に關する諸種の施設についての新抱負をのべた後に、氏は一段聲をはりあげ、紳士淑女諸君、自分はこゝで講演を止めたいのであるが、しかし諸君の注意を是非喚起しなければならない二三の問題がある。それはフィリッピン政府がわが大學に對して豫算に於て非常な削減を加へたことである。

一九三一年	一、八九五、〇〇〇比
一九三二年	一、五四七、〇〇〇
一九三三年	一、〇一八、〇〇〇
一九三四年	一、〇一八、〇〇〇
一九三五年	一、〇三六、〇〇〇

即ち大學は一九三一年以來四五パーセントの大削減を受けてゐる。同一期間に於て他の部局に於ては二十五パーセントしか削減されてゐないのに、自分の大學だけは何故に四十五パーセントも削減したのか、御蔭でこの削減の爲に授業料の値上げをなし、設備費を節約し、職員數を減じ、四十五名の同僚引退に對して退職手當を支給しなければならなくなつた。その結果、大學の機能の上には大缺陷を來した。第一流の教授は職を轉じて學校を去り、殘れる教授も亦、經濟上の保證のない爲に研究上の元氣が低下しつゝある。研究事業の繼續的なもので今

中止の狀態にあるものが、

農學科	三五〇
醫科	五八
文科	四三
家畜學	一七
教育	一四
衛生	一二
法律	一〇
工學	九
Cebu Junior College	八
College of Business Administration	六
藥學校	五
林學校	五
Northern Luzon Junior College	五

國民の經濟的發展、健康の增進、社會の向上等に關する重要問題がそのために停滯するのは惜むべき事だと。

次には、我がフィリッピン大學は東洋特有の生活から生ずべき新文明に貢獻すべき特有の使命を有してゐる。而してかゝる特有の使命を共通に有してゐる日本と支那の大學からの代表者が出席して下さつたことは誠に幸福に感ずる。古語にいふ希望は覺めたる夢である。自分は思ふ、數代の後には世界人類の半數以上を有するこの東洋に於て新制度と新文化を見るに到るであらうとの希望を有する、と。

氏は結論に於てフィリッピンに於ての有名な革命家リザールの小說 El Filibusterismo（貪慾の世）第七章に於て、シモウンといふ假想の人がバシリオといふ醫學生に、國家の爲に役立つやうにと與へた忠告は同時に現今のフィリッピンの青年の心に移すべきであるとなしてその句を引用致しました。それによりますと、

シモウンは青年に曰く、

「お前は一人で放つて置いても恐らくは立派な醫者にな

るであらう。けれども虐げられた人々の心の中へ新生命を吹込まんと欲する人は尙一層偉大であらう。汝は汝に生命を與へ、生命を培ひ、知識を與へてくれた祖國に對して何をなさんと欲するのか。偉大なる理想に獻げないやうな生命は無用であることを知らないのか。そは恰も河原にある一片の石の如く、家屋の何をも構成しない」と。

靑年バシリオが、自分は學問研究の爲に身を獻げてゐますと答へたら、學問は人間の唯一の目的ではない、人間の平安と幸福に對する手段にすぎないとの見解を有してゐるシモウンは更に諭して曰く、

「人間の偉大さといふのは、その時代よりも遙に先に行くといふ事ではなくして、その時代の空氣を知り、時代の必要に應じ進歩するやうに時代を導くにある」と

8. 緋の袈裟のやうなものをつけた舊敎の坊樣、ピアニ氏によつて祝禱がさゝげられました。その內容については申上げることはありません。たゞ美辭麗句を列べて神の保護を乞ふのみであります。この祝禱中は一同起立です。

三　高等敎育會議

敎育會議につきましては木村總領事からの御話で出席しなくてもよい。寧ろしない方がよいとの御話であつたので出席しませんでした。よつて樣子は判りませんでしたが、プログラム其の他のものによつて見ますと、七大學、十八專門學校聯合の下に開かれ、集つた代表者は、外國からは、日本から二名、支那から三名、比賓律からは二五一名出席でした。

1. 會議の區別け

會議は、

Sectional Sessions

Section one　Liberal Arts Curricula

一八、一九、廿日に開催

two　Character Building
一八、一九日に開催
〃　three　International outlook of
the Filipino Youth
一八、一九日に開催
Plenary Sessions　一八、一九、廿日に開催
とに分れてゐます。

セクショナル・セッションでは代表者が意見を出し、その後で討論をすることになつてゐる。

プレナリー・セッションでは教育者としては、國內での一流の名士、外國代表者が講演をなし、講演の間には音樂も挾まれてゐます。

セクショナル・セッションの方は、午前は九時、午後は三時から行はれ、夜分はありませんが、プレナリ・セッションの方は晩の八時半から行はれます。

2. セクショナル・セッション

セクショナル・セッションの方の講演者名、演題等は判明してゐますが、講演の內容の詳細は未だ判りませぬ。新聞紙を通じて見たものによりますと、次のやうな注意すべきものがあつたといふことであります。

The Section of international outlook

最も興味ある討論が國際教育部でなされた。議題になつたのは、大學間に於ける教授と學生の交換、大學圖書館內に國際部を作ること、國際倶樂部を創設すること、國際平和精神の增進等、

ユニオン・セオロジカル・セミナリの長ハミルトンは、フランス、アメリカ間の交換教授に眞似て、こゝで計畫されつゝあるミシガン大學とフィリッピン大學との交換教授の件を辯護してゐた。

フランシスコ・ベニテス氏は「教育と人格」と題し、フィリッピンが國民の文化や人格を高める爲に最も必要なことは、この問題の各種の點について、眞面目に、而

も繼續的に、興味を以て研究する人々の集りである研究團體を作ることである。

デェ・ラ・ザル・カレッヂのマルキアンは一定の道德、宗教々育の必要を說き、軍事敎練問題に觸れて、一定の制限內に於ては最も有效なるものであるが、度を過して、軍事敎練の目的が、國民の平和と幸福にあることを忘れてはならない。と警告してゐます。

3. プレナリー・セッション

プレナリ・セッションでは第一日には、國民大學總長オシアス氏、サント・トーマス大學總長タマヨ氏がなしました。

a. オシアス氏（國民大學總長）

氏は比律賓の獨立運動についての駐米委員として米國にあつて大に活躍した人、嘗て比大敎授であり、上院議員であつた經歷を有してゐます。本年四十七歲

氏は、敎育は時代の主要思潮並に傾向を反影するものでなければならない。敎育は各個人、各國民又は人類の最高の能率と自由と幸福を得るやうに目指さなければならない。この爲にはもつと國際的でなければならない。とか、かゝる事をたすには、經濟競爭といふことでなくて、經濟共同でなければならない。又國際的にする爲には International Section を作らなければならない。言語文學の硏究、旅行の必要を强調してゐました。

b. タマヨ氏 (Father Serapio Tamayo)

サント・トーマス大學の總長タマヨ氏は Intermediate School から High School 迄の敎科目の合理的連絡を强調してゐました。

第二日目にはロメロ氏と私とビッパードの三人が特別講演を致しました。

c. ロメロ氏

衆議院議員で、衆議院敎育委員長の職にある氏は敎育の財政問題について話しました。而してその際に二日前

に新大學總長ボコボ氏が總長就任式の就任演説に於て、先に申した樣な大學の經費削減に就ての大不平に對して辯解を試みました。それによると、大學の建物の增築は一時中止といふことになり、その方面に使用すべく特に許されてあつた授業料は、增築の中止以後、大學維持の金に使用する事になつてゐる。從つて此の大學だけが特に割が惡いのではないとの辯解をしてゐました。

d. 自分の講演

自分の講演は「文化體系中に於ける教育の地位」と題しまして、約三十五分間に亙つて講演を致しました。マニラへ到着しましてから或る人の注意によりまして原稿は印刷に付し、出席者に頒ち、傍聽者はそれを擴げて見て居り、自分はその原稿を讀んだのでありました。御蔭で自分の拙い發音もこの方法によつてカバーされたのでありました。

その內容はニューヨーク、コロンビア大學の錚々たる

BASIC PRINCIPLES OF THE FUNDAMENTAL CULTURE

CRITERION / CULTURE	OBJECT	INTEREST	VALUE	ACT	FACULTY
SCIENCE	relation between elements of reality	essence	truth	judgment	intellect
MORALS	structur conceived ideally	remodelling	goodness	practice	will
ARTS	significant form	enjoyment	beauty	impression expression	feeling
RELIGION	relation between the All and the Ego	peace of mind	holiness	faith	heart
EDUCATION	diffusion	continuity	eternity	learning	mneme

教授、キルパトリック氏を始め、獨逸に於てはクリーク、（日本にも相當の地位の御方でその說を取入れてゐる人がありますが）たどが稱へてゐる「教育は生活其物なり」といふ說を駁し、その論據として、自分の多年の研究になる自分特有な文化體系を簡單に說いたのでありました。

廊下に陳列し任意に御取り下さいと記しておいた「Basic Principles of the fundamental Culture」と題する表は講演に使用しようと思つて用意して行つたのでありましたが、本文を印刷したので不用となつたものであります。（前頁に揭載の表は卽ちそれであります）

e.　ヒッバード氏（シリマン・インスチチュートの前總長）は

「高等教育と民衆」と題し、若し輕氣球が望遠鏡か又は綱によつて地上との聯絡がないならば、その輕氣球たるや全く無價値である。高等教育は優秀なる輕氣球の如くであるが、時として地上と連絡すべき綱を斷つ事がある。吾人若し生命をば、よりよく、より進歩的に、より有用になすに非ずば、換言すれば、吾人若し人民に對してよき家庭、より豐饒なる土地、より高等なる道德、明晰なる思惟、堅き信仰を與へる事が出來ないならば、教育はなきに若かずと說いてゐます。

f.　大島代表

第三日目に大島代表は大學教授學生交換、出版物交換、ラヂオ放送の交換等數ケ條を列擧して國際間の親交增進に努力すべきことを力說されました。

g.　支那代表者

廣東、嶺南大學の陳榮捷氏、北京國民大學長の蔣夢麟、上海大學の劉湛恩氏の三氏が來られ、同氏等は十七日著豫定のプレシデント・ジェファーソンに乘つてゐたのですが此の船が香港出帆に際して、他の船がジェファーソンの後部に衝突し、航行不能となり、爲に一船後れて來着したので、此の人達三人の講演は特別に第四日目に開かれたのでありました。

上海大學の劉君は極めて雄辯で原稿なしで滔々と辯じてゐます。而して非常に法螺も吹き立てます。歐洲では汽車に乘つて十時間も經つと他國へ行くのであるのに、支那では幾時間乘つてゐても支那だとか、歷史、人口等……

目下支那では民衆教育に、農民教育、職業教育、女子教育、市民教育に努力を注いでゐる。

北京大學の蔣夢麟氏は支那に於ける高等教育の歷史と發達を說いてゐました。

一九一二年には、四個の大學であつたのが、一九三三年には一一一の大學が、一九一二年には生徒數四八一名が一九三三年には四三、五一九名とまで增加した事などを說いてゐました。雄辯ではありませんでしたが、支那代表中では最も學者らしきタイプの方でありました。

廣東大學の陳榮捷氏は英語は特意と見へて、殆ど原稿なしでやつてゐました。

氏は大學間の教授、生徒、書籍出版物の交換、聯合夏期大學、調査事項の共同作業等を提唱し、且結論に於きましては我々隣國の間の親善を增進するためには三種の重要なる契機がある。第一は人道であり、第二は人道であり、第三は人道であると力說してゐました。

四 Convocation Address

私は先に述べた教育會議に列席致しました外に、マニラ大學で一回と、ロス・バニオスのフィリッピン大學農學部で一回との Convocation Address といふものを致しました。Convocation Address と申すのは一般學生の爲になす臨時に開催された特別講演の事であります。

1. マニラ大學に於けるConvocation Address

マニラ大學では到着した翌々日の晩にやらされまし

た。司會者の總長サントス氏は日本からの代表派遣の懇請のため、態々東京迄行き、臺灣の數年前の總督伊澤多喜男氏、現總督中川閣下にも面會され、臺灣大學の設立についてはよく聞かされてゐたので、サントス氏は曰く、臺灣大學は南支、南洋についての特殊の學的使命を帶びて設立されてゐる學校であると伊澤氏は云つた、而して伊藤教授はそこから派遣されて來たのだ云々と云つて私を紹介されました。私は立つて拙い英語でやり初めました。二、三分經つと學生はクス／＼笑ひ出しました。幸に自分の面の皮は厚く出來てゐるので厚かましく大雄辯を振つてきました。

講演の大要を申しますと、自分は教育者であるので學生に接することには格別に興味を有してゐる。而して、比律賓が十年後に獨立することを考へると、この生徒の中には、日本で云へば福澤諭吉や、森有禮の如き人、アメリカの歴史で云へばジェフーソンやフランクリンの如き役目を演ずる人々がこの中にあるのであり、その人々に話をするのであるかと思へば非常に嬉しい。

而して日本とフィリッピン、特に比律賓と臺灣とは非常に接近してゐて共通點が多い。地質學上では第三紀層から成立つて居り、金鑛や油田が多い事が似てゐる。有孔蟲の化石が比律賓にも臺灣にもあることから、兩者は元來陸續きであつたのだと稱する科學者もあるさうだ。言語上でも共通點がある。バタン人と紅頭嶼の人々との間には目、男、太陽、月、舌、唇、頭、首などいふ字は非常に似てゐる。斯る有史以前からの連絡があるのだから、御互は親密にしなければならない。

日本は今小學校の入學率は九九パーセント迄昇り、どんな田舍へ行つても新聞の讀めない人間はない。但し此れ程迄に到るには隨分苦しい經驗を嘗めたのだ。明治初年の外國留學生は歸朝後舊物破壞をやり、それに實利主義などはき違へられて、奈良公園が牧場化され、五重の塔が大枚五圓で賣られやうとしたことさへあつた。日本語を棄てゝ、英語を日本國語にしようなどゝいふ企てもあつたことがあつたが、幸に健全なる思想家によつて此等は凡て喰止められて今日に到つたのだ。

諸君も獨立國として立つて行くなら、歐米の模倣をするのでなくして比律賓特有の宗教、風俗、言語を尊重しその基礎の上に他の歐米の長所を取入れなければならない。獨立國として一日の長ある日本は何時でも進んで諸君の相談相手となる用意ありと云はないばかりの事を述べてきました。

自分の講演の後でサントス總長は、自分の述べた就學率九九パーセントと云つたことが非常に感激的であつたと見えて、九九パーセントを繰返し生徒を激勵してゐました。

2. ロス・バニオス大學に於ける Convocation Address

第二回のロス・バニオスでは、フィリッピンと日本との間には有史以前に於て交通があつた證左として安藤教授の「登陀流」に關する説、移川教授の發見に關する地名にIといふ接頭語のある事を説きました。

登陀流については、日本で紀元七一二年に出來た「古事記」の中の言葉で判らないのがあつたのが、同僚安藤教授の調査によると、南洋の語の Sinar といふ語から來てゐることが判つた。君の方のタガログ語で Sinag といふ言葉と同一語原から來てゐるのだと云ひつゝ、Sinag と板書致しましたら、生徒は異口同音にチナグと叫び、感極つたといふやうな印象を受けました。

次にIにつきましては、臺灣のヤミ族では、Imourod, Iwatas, Ivarinu, Iratai, Iralarai, Iranumilk, Jayu, 比律賓の北方民族では Ilokos, Ilongot, Igorrot, Ifugao と云つてIを附してゐる。而して自分の姓名はItoであり、これは伊勢に住んでゐた藤原氏といふ意味なのだ。

從つて自分の祖先の或者がＩといふ字を共通に使用する南方民族から來たのだと科學的に證明されても自分は驚かないであらう。それ程に君の國と自分達とは近い間柄なのだ。

所で、こちらでは海運丸事件で非常に騷いでゐるやうだが、しかし歷史を見ると偶然の交通はあつたでないか。八月末から九月へかけてフィリッピンからは颱風が每年やつてくるし、冬季は日本から比律賓へ季節風が吹くではないか。見よ、

一六六八年の十二月には尾張の孫左衞門の船が東京から歸る途中バタンに漂流し、一六八〇年には二十三名のバタン人が日向の外浦へ漂流したではないか、一八二八年二月十一日には奧州の石橋德右衞門の船が比律賓の北方の島へ吹付けられたてないか。

其の時分には何も騷がないでゐて、今になつて何を騷ぐのだ。海運丸事件の如きがあることは、同じ太平洋沿岸に住む御互同志の親密關係の證左と見られないのか、と申しました。

尙又、自分達は同じ太平洋沿岸に住んでゐるのである。世界の中心が地中海であつたのが大西洋に代つたこともあつた。而して大西洋が太平洋によつて代られる時代が程なく來るのでないか！　云々と述べたのでありました。

この時の原稿は、ボコボ總長やデュラン氏から要求され、その一部は直に彼地の新聞に揭載されました。

五　比律賓出張より得たる副産物

1. 比律賓より學ぶべきこと、

自分が比島滯在中、學ぶべきものと感じたるもの二、三ある中、特に是非學びたしと思へるは、避暑地バギオにある教員宿舍（Teachers Camp）である。バギオなる地は東洋唯一の避暑地の稱あるだけに手が行屆いて眞に樂園たるの形を具へて居り、そこに特に教員の爲に避暑

の設備がある。これ即ち教員宿舍である。宴會場、教室、宿舍等、建物の數は大小合せて約百、それが殆ど凡て廻廊で繫がれて居り、同時に約二千人の教員が享樂しうることとなつてゐる。費用は官公立學校の職員は市價の約三分の一の値段にて、私立學校の職員は市價の約二分の一にて過しうることゝなつてゐることは、大屯山彙を國立公園にしようとの企があり、草山、竹仔湖といふ絶好の避暑地や、又阿里山といふ避暑地を有してゐる臺灣人にとりては、特に教育者にとりては、大に學ぶべきことと思はれたのであります。

附記、香港にては住宅を建設すれば、そこに通ずる道路の敷設費用は公費にて負擔することゝなつてゐると。桑折總領事代理より聞きました。臺灣にとつて他山の石ではありませんか。

2. 比律賓の將來と日本——特に臺灣

以下は主として木村總領事の御話や、在マニラ總領事館調査、昭和九年十二月調「共和準備ニ急グ比島ノ政情」に基いて申上げます。

a. 比律賓の獨立問題

比律賓の獨立は既定の事實であり、目下は憲法制定議會(十月一日より開會)に依つて憲法を制定中、本年一月一杯には完成の豫定であつたのであるが、數日前の新聞によると、一部の實業家の妨害によつて故意に遷延されつゝあるといふ事であります。此の憲法が出來ると、アメリカの通常議會に付し、大統領の承認を經た後、フィリッピン人の人民投票に訴へて決定します。斯くして效力を生ずる。それが出來ると、新政府の官制を定め、大統領等の選擧を行ひます。これに依つて獨立準備政府(Commonwealth Government)が成立する。この政府が出來て後十年にして完全に獨立する。

かゝる政府は今年一杯に出來る豫定でありました。第一回大統領には上院議長のケソン氏がなるだらうと噂されてゐます。

同時に從來の總督官制は廢止し、アメリカは唯監督として High Commissioner をおくのみ。但し政治には關係せず。アメリカの役人は辭職す。

b. 米國が獨立を許す理由

米國に於ける比島獨立運動の支持者は比島生產物の驅逐に躍起となつてゐる人々によつてなされた事を忘れてはならぬ。詳言すれば、米國甜菜糖業者及び「キューバ」「ホルト・トリコ」等に於ける米國糖業家は熱心に比島砂糖の無關稅輸入に反對し、牧畜關係の農業家は比島椰子油の輸入制限を主張し、「サイザル」其他の纖維業者は「マニラ麻」を排斥せんと試み、又加州其他の諸州では失業者防止の建前から比島勞働者の入國制限を絶叫して居つたが、適々從來比島獨立に贊成してきた民主黨が政權を握るに及び、米國內の空氣は此の機會に比島の獨立を許容すると同時に、比島物產並に比島移民に對する各種制限を實行し、一石二鳥の效果を收めんとする案に傾き、斯くして出來上つたものが卽ち「ヘ・ホ・カ」獨立法案乃至「タイディングス・マックダフィー」獨立法であります。

處で、比律賓人は政治的には獨立したい。けれども經濟的には元通りでありたい。米國への輸出品に對して關稅をかけられることは困るのであります。そこで經濟的の苦痛を逃れる方法として、米國の御機嫌を取ることに腐心した。その結果、考へついたのが、比律賓に於て米國品と競爭の地位にある輸入品に對して重稅を課するといふことであります。

このことで總督は敎書を出し、關稅審議會にも付せられ、且通過したのであります。

c. 日本品に對する關稅引上げの件

イ、マーフィー總督の要望

最近數年間、比島の對米輸出は激增を示してゐる。而るに米國品の購買は減少してゐる事實があります。此の事實こそ米國に於ける比島の權利及利益を考慮する人にとつて多大の障害となつてゐるのだと云ひ、然し、斯る狀態は修正なし得るものであつて、米國に特別關係ある物品の外國品の輸入に高稅率を賦課する事は、米國市場に於ける寛大なる取扱を要求する吾々の主張を强固ならしむるものである。

総督案の內容

本案の要點は一九〇九年の比島關稅法並に一九三二年二月實施の一般關稅率改正法を修正して、米國品及び比島產業の保護をなし「タイディングス・マックダフィー」獨立法の經濟條項を有利に展開する爲に、米國品の競爭國に對して高率を課し、從來の從價稅を從量稅に變更せんとすること、並に比島總督に對して一種の關稅獨裁權を與へるといふ二點にかゝつて居り、棉花、「モーター」船具等は無稅品たらしめるが、陶器、磁器、食卓用ガラス器、エナメル、綿糸、漁網、平織、綾織、メリヤスシャツ、絹布、人絹、紙製品、ゴム底靴、電球、干鱈、魚の罐詰、ビール、ミルク、玩具等に對して約現行率の三倍に引上げんとするものである。但し自轉車、馬鈴薯、玉葱等は從來通りとする。

ロ、審議會通過案

米國品の比島に於ける市場相場に對し、外國品の相場を五分乃至一割程度高くする事が本案の目標であつて、其手段として外國品に對する關稅率を現行率の十割乃至十五割の高率となさんとするものである。

上院稅制委員長として、一昨年の議會に三大關稅法案を通過せしめた「キリノ」が藏相に就任と共に「マーフィー總督」により關稅特別審議會の議長に任命せられ、此の審議會が中心となつて外國品に對する禁止的法案の準備をなすに至つた。當時比島產業界は米國々內法たる砂糖制限案の影響を受けて極度に恐慌を來して居り、椰子油亦消費稅が課稅せられる。この形勢を有利に打開せんとする空氣が產業界に濃厚に動きつゝあつた際とて、此の關稅引上は殆ど何等の障害をも受けることなく成立を告ぐべしと思はれてゐたが、其後時日の經過と共に强力なる反對氣勢が米國政府筋並に議會領袖の間に動きつゝあることが判明し、該府議會は大事を採り、容易に具體案を示さず、辛うじて九月末に至り、總督案を基礎としたる修正案を議了し、之を總督に報告したが、本案を議會の議に付するや否やに關し、米國政府の意嚮を確むる爲、時日を經過し、十月下旬に至り、米國政府は米國品保護の爲の關稅引上案に反對なることが明瞭となつたので、「マーフィー總督」は其旨を聲明すると共に、比島物產保護の爲の關稅引上には異存なき旨を倂せて聲明した。

八、木村總領事の講演と其反響

比島最高學府の懇請により八月十六日、木村總領事は『日本と獨立比島の通商關係』と題する講演を行つた。時恰も通常議會開會後に當り「マーフィー總督」の敎書や上院議長「ケソン」の議會演說の要旨が米國品保護の關稅引上と米比自由貿易維持の緊要なる所以を高調した際とて木村總領事の講演は相當反響を與へた。

木村總領事の講演要旨

比島の獨立準備に直面し比島の重要物產で米本國向け輸出せらるゝもの卽ち砂糖、椰子油、煙草等は輸出制限を受けることゝなつた。米比自由貿易の繼續に關聯し新しい比島の經濟策を採用することは考慮の餘地がある。比島は日本の需要せんとする原料を產出し、日本はその製品を比島に供給し得るものである。

米比自由貿易論支持者は獨立後の比島物產の捌口は米國以外に見出し難いとの見地より、只管米國に好感を與へんと努力してゐる感があるが、比島獨立後の經濟策として斯る方針の踏襲が宜いかどうかに付ては玆に議論をする場合ではないが、右は比島にとつて相當重大なる結果を招來するもの**ではなからうか。一般には比島貿易は**米比以外では問題にな**らぬ少額だと見てゐるが、之は自**由貿易といふ人爲的原因に歸すべきである。勿論之に據り比島が利益を享受してゐる事は結構である。

日比貿易は如何に增進すべきか、日本の現狀は比島物産を相當に消化し得る途があるが、就中、若し比島が棉花を栽培する事にしたならば、年々日本に向け三千萬比見當の棉花を買込む事が出來ることゝなる日も來るだらう。生産費の高い事は必ずしも生活標準が高い事を意味しない。一部富裕階級を別にして大衆のそれは高いとは云はれぬ。又生産費の高い事は比島の貨幣制度にもよる。日本及支那は國力相應の制度を持つが、比島は弗に依存し、他の東洋諸國に孤立してゐる比《ペソ》が圓と同價である爲に、比島物産の對日乃至世界進出は容易であらう。

米比自由貿易支持論者は比島市場に於て米國品と競爭關係にある外國品に高率關税を賦課せんことを主張してゐる。關税引上品目の最大目標は綿製品であるが、比島が米國の統治下にある間は當然だらうか、獨立比島としては他の外國の利益をも考慮されねばならぬ。

統計の示す處によれば一八九八年には米國品の比島輸入は全體の一割五分であつたが、一九三三年には七割五分を示した。

獨立自治の國家としては一般國民の福利を考慮すべきで、織物や食料品の關税引上げは國民を苦しめる結果を招致し、特に貧民階級に打擊を生ぜしむる結果となるやも計られない。

最近支那が財政の困難をも顧みず、綿製品の輸入税を低減した事は他山の石となるかも知れない。

獨立比島の中立問題は關係諸國間の重要案件で日本の輿論は好意を示してゐる。日本は比島の良友で將來も亦同樣と考へられる。自分の立場は國内問題に關する限り、何等之に容喙せんとするものではない。要するに上述の觀察は學究問題として取扱ふと同樣の意味に於て講演したもので、學生諸君の研究の一助ともならば幸ひである。

二、米國、國務省よりの回答

『米國政府は國際的に及ぼす惡影響を考慮し、米國品保護の爲の關稅引上には反對なり』

d.　アメリカ政府は在比邦人を保護す

然らば吾人はアメリカには無頓着に比律賓を庇つてよいのかと申すと、さうではない。アメリカは、比律賓に於て日本人の爲に大に盡してゐるやうに思はれます。或人の御話でしたが、比人は自分は仕事しないでゐて、日本人のなす仕事をねたむのだ、さうして議員を買收して排日法案を出す。總督は、これは法律の形式を備へてゐないといふ理由で撤回させてしまふので、日本人は大助りであるが、若し、アメリカ政府の人々が本國に引上げたら比人は日本人に對して何をするか判らないとの話でありましたが比律賓へ着してから此の事を正して見ますと事實無根とも申されないらしいです。一例としては、昨年の議會に於ける排外法案として注意を喚起したものに、「バダングス」州選出下院議員「ラモン・ディオクノ」の提案に係る「外人小賣商業禁止法案」があります。

此の案の骨子は、米比人以外の國民は比島に於て小賣商業を營む事を禁止する。併し會社組織による時はその株式が七十五パーセント以上米比人なるに於ては差支へないと云ふのであります。

右は最も露骨なる排外法案で直接影響を受けるものは支那人及び日本人で、既に比島人商業界方面に於ても反對の聲相當盛んであるが、商業禁止法の如きは、本邦を始め、其の他の國との通商條約に違反する事明かであつて、假令議會を通過するとも、總督は之を拒否するものと見られた處、閉會間際に下院を通過したるも、上院に廻付に至らずして消滅した事もあつたのであります。其他漁業についても排外法案が論議されてゐました。

e. 汎亞細亞主義の提唱は時期尚早

米國に就ての關心と同時に注意すべきは大亞細亞主義であります。臺灣に於ての大亞細亞主義の事を申すのではありませぬが、比律賓で某氏が昨年大に大亞細亞主義を唱へたのでありましたが、領事館側では、寧ろ迷惑がつてゐました。今は時機でない。さうしなくともやがて來るとの事でありました。領事館側でかく云ふには論據がある。今憲法草案を作りつゝある憲法議會の議長レクターは次のやうに述べた事があるのであります。

レクター氏の新モンロー主義排撃

『米比兩國經濟の合作に非ずして我繁榮並に經濟的困窮及政治組織を左右せんとする地理的原動力たる經濟的權勢、換言すれば新「モンロー」主義である。この危險に對しては宜く勇氣と果斷とを以て邁進すべきものである』と論述し、大いに新「モンロー」主義の危險を喚起せしめた。

フィリッピンの或人は日本を恐しいものと思つてゐます。敎育會議の特別講演會の席でオシアス氏と話してゐる時氏は曰く、日本人は「アリガタウ」とよくいふ。アメリカ人は之を「アリゲーター」(alligtor) だと解すると。「アリゲーター」とは鰐の事で、人を喰ふといふ意味です。下院議長代理スルエタ氏と宴會の席で隣合せた時に氏は云ひました。比律賓が米國の手を離れた後は日本に征服されるのだらうと云つてゐるから、自分はその辯解につとめてゐると云つてゐました。彼の地の新聞紙はこんな漫畫をかいてゐます。(漫畫は略す)

f. 親日傾向について

デュラン氏の親日論文は大阪毎日の十月の新聞にも揭載されてあるので今それを繰返す必要はないと思ひますので略します。

g. 文化事業の提携

そこで日本と比律賓との間に何が行はれるかと申しますと、日比文化協會の設立であります。この事は今直に實現されるといふのではありませぬが、總領事を初め有志の間に目論まれてゐるやうであります。而してこの會は文化事業のみに關係し、政治には關係せず。役員は一流の人を以てする。日本で先づ作ること、次で比島で作る。具體的の仕事としては比島に於て學生の爲の日本語教授、日本文學、美術、憲法の講義を開くこと。日本内地へ留學者の爲の特別の日本語の練習所を設けること、日本に留學せる比島青年に對して家庭的な慰安を與へること。其他比島の知識階級へ日本語を教込むこと等が擧げられてゐました。

h. 就職問題――比島に於ける就職問題

日本人副會長宮崎氏の話によりますと三井、三菱等の店員は本社から任命するからこゝで取る事は出來ぬ。其他の獨立事業の經營者は食事を與へて月十五比を支給する位、百比以上とる人は店員としておけぬ。大學卒業生を雇ふだけの資力はないと云ふことであります。

比島將來の事業について宮崎氏は曰く、將來は輸入品に對して稅金を課すべし。故に輸入品は商賣出來ず、そこで工業が起る。現に日本人の中產階級の人(中位の雜貨屋が株主)が資本を出し合つて二十萬比の資本にてゴム靴工業に着手してゐる。かゝる狀態であるから將來は必要であらうとの事であります。

次に臺灣籍民が比律賓で有用であることの一例として氏が紹介の勞を取られた黃東樹氏の件につき次のやうな話がありました。

臺灣籍民の黃東樹氏(日本の中學卒業者)が親戚に支那人に有するも、支那人の店にゐるを好ます、日本人の店に雇はれたしといふので、三井物產の雜貨部に依賴した。氏は福州語が出來るので、福州人の商人へ卸し步き目下は相當の成績を得てゐる。卽ち月給は三十比なるも賣上高の五厘の手數料を得てゐるので、最近ではその手數料が月百比を下ることなく、非常に好都合なりと。

　卽ちマニラに於ける商人は支那人多き故、かゝる人間が居れば好都合であると。日本人の店で支那人を雇ふと支那人はひがむ。冷遇すると思ふ。所が黃氏は臺灣人故其點非常に宜し、日本語を知り、厦門語も知る故に。元來、商人は厦門人。廣東人は政治ごろだからと。

　臺灣籍民が比律賓で重寶がられることを知つたので尙念のため木村總領事に話しました所、臺灣籍民は比律賓へは一般人は入國出來ないとのことでありました。その理由は

　Act of May 5, 1892, Prohibiting the coming of chinese persons into the United States and providings for Registration of Resident Laborers

と稱する法令の第一條に

Section I.

That all laws now in force prohibiting and regulating the coming into this country of chinese persons and persons of chinese descent are hereby continued in force for a period of ten years for the passage of this act.

とあり、この法律に妨げられて、臺灣人はフィリッピンに入國出來ない。こゝに記してある十年といふ年限は期限が到着すると再び繼續する法令が發せられるので、無限に續き、現在も尙その狀態である。

　朝鮮人が日本人と同樣に無條件に入國出來るに拘らず臺灣人が入れないとは矛盾した事であるが、相手方がさう解釋するので致し方がないと、いふことでありました。

　次に三井物產の支店長山崎龜之助氏に就いて就職問題を伺ひました所、氏の申されるのに三井にては店限り（店限と稱す）の使用人で、その店の中堅を作る人を必要と

する、それには必ずしも法科、經濟科とは限らない。高等常識のある人であれば結構との事でありました。要件は福建語を話す人であること、毎年一人位を必要とする。俸給は最初七十ペソ。臺灣人の入國に就ては、千比政府へ供托すればよい。之は會社がやる。保證人は不要とのことでありました。

六　その他の感想

7. 歡迎會は度々開くこと

教育會議に先立つ三日前に木村總領事主催日本代表者の爲に開かれたる午餐會を魁とし、午餐會、御茶の會、晩餐會の招待に預ること、日本人側より四回、比島人側より十三回、御蔭にて邦人知名の士には元より、米國の主なる官吏、比島の學者、政治家等に親しく面語の機を得、覺束なき英語會話も面會回數の度重る內には意志疎通の役を果し、彼此の理解に於て、又和親の上に於て得る所僅少でなかつたことを悅んでゐます。かゝる場合には精々澤山歡迎會を催すべきだと悟りました。

2. 遺憾なりし點

a. 事餘りに急迫して先方の當事者と打合せる暇なく、從つてこちらにてなせる準備と先方にて期待してゐたこととの間に齟齬を來し、諸種の點に浪費多くして然も先方の意に充分に副ひえざりし事、

b. 折悪しくも我大學に於て、大日本學術協會が開催される時に當り、幣原總長御自身が出張し能はざりし事であります。若し受命者が小官でなくして總長なりしならば臺比親善上に及す效果は蓋し劃期的のものありしならんと、この點甚だ遺憾に存する次第であります。

3. 臺北帝大の使命の自覺

東京から行かれた大島氏の話によると、比律賓でかゝる催があることは餘程以前から判つてゐたのである。けれども文部省は金がないとの理由で話にのらなかつたのた。所が、臺灣から行くといふことになつたので、それ

では内地からもといふので東京から出かけることになつたのだといふことでありました。

然らば、どうして臺灣から出すことに話がきまつたのかと申しますと、そのことは日本に使したマニラ大學總長サントス氏の話で判りました。私は氏とヘラルド新聞社主催の午餐會に隣合せて座して諸種の話をしてゐる内に、氏は、自分は日本の文部省へ行つて、代表者の派遣を懇請したけれども金がないとの理由で斷られた。伊澤さんに話したら中川總督を紹介して下さつたので話が成立したのだと申して居り、伊澤氏から中川總督への日本文字で書いた紹介の名刺を、次の宴會の機會に持つてきて見せてくれました。然らばどうして伊澤氏をサントス氏が訪ねたかと申しますと、一昨年の貴族院南洋視察團一行中の貴族院庶務課長小林次郎氏から紹介されたとのことでありました。

今申したことによつて御判りのやうに、フィリッピンの事は文部省では問題にしてゐなかつた。嘗て臺灣總督であり、大學創立に盡力して下さつた伊澤氏と、現中川總督のいられることによつて今回の事があつたと申して差支へない譯であります。若し兩氏なかりしならば、此席で申上げたやうな話も出來なかつたのでないかと思はれます。伊澤氏も矢張人間である。永遠に生きることは出來ない。中川總督も永遠に臺灣總督でもありますまい。兩氏が居られなくとも、よしや中央政府が閑却してゐることがあつても、我々臺灣に住むものは、特に大學に奉職するものは、臺灣特有の天職を忘れないで、その遂行に努力するやうありたいものと思ひ、且本日の此の講演がその目的に幾分にても役立ち得るならば、自分の本懐とする所であります。

在マニラ日本人小學校父兄の叫び

伊藤猷典

在外日本人子弟の教育問題に就いて多大の興味を有してゐられる大島正德氏の要望によつて、去る十二月十九日、在マニラ日本人小學校に於て同校關係者の會合が開かれ、日本人子弟の教育問題について諸種の意見や希望を聞くことが出來た。集つた彼の地の人は、校長、評議員三名、總領事館からは書記生一名とであつた。その際知りえた事柄は、在外日本人子弟教育問題研究資料としてのみならず、日本民族海外發展の國策上から見ても重要なる參考資料と思はれるので左に摘錄することゝした。

1. 教員について

（イ）內地よりの管轄の下にあり、視學の指揮の下にありて地方父兄の牽制を受けない樣になしたし。

（ロ）島流しの如くにせず、一定年限內には內地へ歸り得るやうになされたし。

（ハ）增俸の見込たゝず、蓋し、生徒敎は年々に增加するも、在留邦人より集むる會費は增額の見込たゝぬが爲なり。

2. 經濟の點

（イ）日本人小學校は寄附金によりて設立せるため、費用徵集上に强制力なし、

（ロ）比律賓人として納稅し、更に日本人會費を支出する爲、邦人には相當苦痛なり．

（ハ）故に敎員俸給だけ國庫負擔に願ひ度し、

3. 敎育方針、

（イ）第二世は日本人の魂がない、

（ロ）ねばりがない、タイプライターの如く、又、通譯の役しか立たぬ、

（ハ）日本人の敎育を望む、日本精神の敎育を望む、

4. 將來

（イ）日本人はこゝで尊敬されてゐる。

（ロ）五十年後には日系比人にて比島の政治上重要地位を占むることは可能たるべし

（ハ）故に大に日本政府は力を用ふべしと。

哲學科講義題目　昭和十年度　（括弧内の數字は每週時數）

東洋哲學

特殊講義　儒教倫理の諸問題（二）　後藤助教授

講讀及演習　論語注疏（二）　後藤助教授

西洋哲學

哲學概論（二）　岡野教授

特殊講義　カント哲學に於ける存在論の問題（二）　岡野教授

講讀及演習　Heidegger : Kant und das Problem der Metaphysik.（二）岡野教授

倫理學

東洋倫理學概論（二）　今村教授

倫理學概論（二）　世良教授

西洋倫理學史、近世倫理學史（二）　柳田助教授

特殊講義　理論的と實踐的（二）　世良教授

講讀及演習

Aristoleles : Ethica Nicomachea. tr by Ross.（前學年度續き）（二）　世良教授

Hegel : Phänomenologie des Geistes. herausg. v. G. Lasson. 3. aufl.（二）柳田助教授

心理學

心理學概論（二）　飯沼教授

特殊講義　最近心理學の諸問題（二）　力丸助教授

講讀及演習

Werner, H: Einleitung in die Entwicklungspsychologie.（二）　飯沼教授

Flugel, J. C: A Handred Years of Psychology (二)　力丸助教授

心理學實驗(四)　飯沼教授
　力丸助投教

教育學

教育史概說、西洋教育史(二)　福島助教授

各科教授論(二)　伊藤教授

演習、William H. Kilpatrick: A Reconstructed Theory of the Educative Process.

其他(二)　伊藤教授

講讀 Pestalozzi: Meine Nachforschungen über den Gang der Natur in der Entwicklung des Menschengeschlechts (二)

福島助教授

社會學

社會學概論(二)　岡田講師